LETTRES ANGLO-AMÉRICAINES
série dirigée par Marie-Catherine Vacher

L'HOMME QUI TOMBE

DU MÊME AUTEUR

BRUIT DE FOND, Stock, 1986 ; Babel n° 371, 2001.
LIBRA, Stock, 1989 ; Babel n° 461, 2001.
LES NOMS, Actes Sud, 1990 ; Babel n° 879, 2008.
CHIEN GALEUX, Actes Sud, 1991 ; Babel n° 84, 1993.
MAO II, Actes Sud, 1992 ; Babel n° 512, 2001.
AMERICANA, Actes Sud, 1992 ; Babel n° 420, 2000.
JOUEURS, Actes Sud, 1993 ; Babel n° 563, 2002.
L'ÉTOILE DE RATNER, Actes Sud, 1996.
OUTREMONDE, Actes Sud, 1999 ; Babel n° 580, 2003.
VALPARAÍSO, Actes Sud-Papiers, 2001.
BODY ART, Actes Sud, 2001 ; Babel n° 603, 2003.
COSMOPOLIS, Actes Sud, 2003 ; Babel n° 674, 2005.
CŒUR-SAIGNANT-D'AMOUR, Actes Sud-Papiers, 2006.
ŒUVRES ROMANESQUES, t. I, coll. "Thesaurus", Actes Sud, 2008.

Titre original :
Falling Man
Editeur original :
Scribner, New York

ISBN 978-2-7427-7429-6

ISBN 978-2-7609-2826-8

DON DELILLO

L'Homme qui tombe

roman traduit de l'américain
par Marianne Véron

ACTES SUD / LEMÉAC

Première partie

BILL LAWTON

I

Ce n'était plus une rue mais un monde, un espace-temps de pluie de cendres et de presque nuit. Il marchait vers le nord dans les gravats et la boue et des gens le dépassaient en courant, avec des serviettes de toilette contre la figure ou des vestes par-dessus la tête. Ils pressaient des mouchoirs sur leur bouche. Ils avaient des chaussures à la main, une femme avec une chaussure dans chaque main, qui le dépassait en courant. Ils couraient et ils tombaient, pour certains, désorientés et maladroits, avec les débris qui tombaient autour d'eux, et il y avait des gens qui se réfugiaient sous des voitures.

Le grondement était encore dans l'air, le fracas de la chute. Voilà ce qu'était le monde à présent. La fumée et la cendre s'engouffraient dans les rues, explosaient au coin des rues, des ondes sismiques de fumée, avec des ramures de papier, des feuillets standard au bord coupant, qui planaient, qui voltigeaient, des choses d'un autre monde dans le linceul du matin.

Il était en costume et portait une mallette. Il avait du verre dans les cheveux et sur le visage, des éraflures marbrées de sang et de lumière. Il longea un panneau Breakfast Special et ils continuaient à courir alentour, des policiers et des volontaires de la garde nationale qui couraient, la main sur la crosse du revolver pour maintenir l'arme en place.

A l'intérieur les choses étaient lointaines et immobiles, là où il était censé être. Cela se passait partout autour de lui, une voiture à moitié enfouie sous des débris, les fenêtres fracassées avec des bruits qui en sortaient, des voix radiophoniques qui grésillaient devant le désastre. Il voyait courir des gens qui ruisselaient, le corps et les vêtements trempés d'eau des bouches d'arrosage. Il y avait des chaussures abandonnées dans la rue, des sacs à main et des ordinateurs portables, un homme assis sur le trottoir qui crachait du sang. Des gobelets en carton voletaient étrangement.

Voilà ce qu'était aussi le monde, des silhouettes aux fenêtres, à trois cents mètres du sol, qui basculaient dans l'espace, et la puanteur du kérosène en feu, et le déchirement ininterrompu des sirènes dans l'air. Le bruit était partout où ils couraient, un bruit stratifié qui s'amassait autour d'eux, et il s'en éloignait et s'en rapprochait en même temps.

Puis il y eut autre chose, en dehors de tout cela et qui n'en faisait pas partie, séparé, et qu'il regarda descendre. Une chemise descendait des profondeurs de la fumée, une chemise voltigeait et planait dans la lumière chiche puis poursuivait sa chute, en direction du fleuve.

Ils couraient et ils s'arrêtaient, certains, flageolant là sur leurs jambes, essayant d'aspirer un peu d'air arraché à la fournaise et aux cris d'effroi incrédule, aux jurons et aux hurlements creux, et aux tombereaux de papier dans les airs, contrats, curriculum vitae qui passaient au vol, miettes intactes de business emportées par le vent.

Il continuait à marcher. Il y avait les coureurs qui s'étaient arrêtés et d'autres qui bifurquaient dans des rues transversales. Certains avaient rebroussé chemin, pour contempler le cœur de tout ça, toutes ces vies qui se débattaient là-bas, et il continuait à tomber des choses, des objets brûlants suivis de traînées de feu.

Il vit deux femmes qui sanglotaient en marchant à reculons, regardant au-delà de lui, toutes les deux en short de jogging, le visage détruit.

Il vit des gens du groupe de taï chi du parc à côté, debout avec les mains tendues à hauteur de poitrine, les coudes repliés, comme si tout cela, eux compris, était tombé en désuétude.

Quelqu'un sortit d'un *diner* et ébaucha le geste de lui tendre une bouteille d'eau. C'était une femme portant un masque antipoussière et une casquette de baseball, puis elle ramena la bouteille à elle pour dévisser le bouchon avant de la lui tendre à nouveau. Il posa sa mallette pour la prendre, à peine conscient de ne pas utiliser son bras gauche, d'avoir dû poser sa mallette pour pouvoir prendre la bouteille. Trois véhicules de police fonçaient vers le bas de la ville dans un hurlement de sirènes. Il ferma les yeux et but ; il sentit l'eau passer dans son corps, entraînant la poussière et la suie. Elle le regardait. Elle dit quelque chose qu'il n'entendit pas et il lui rendit la bouteille puis ramassa sa mallette. Il y avait un arrière-goût de sang dans la longue gorgée d'eau.

Il se remit en marche. Il y avait un chariot de supermarché vide, immobile, et derrière une femme qui lui faisait face, avec du ruban jaune de la police autour de la tête et du visage, le ruban qui marque les limites à ne pas franchir sur le lieu d'un crime. Ses yeux étaient de minces reflets blancs dans le masque jaune vif, et elle avait les mains crispées sur la poignée du chariot, immobile, le regard plongé dans la fumée.

C'est alors qu'il entendit le bruit de la seconde chute. Il traversa Canal Street et commença à voir les choses différemment, en quelque sorte. Les choses n'avaient plus la même intensité que d'habitude, la rue pavée, l'armature en fonte des bâtiments. Il manquait quelque chose d'essentiel aux choses qui l'entouraient. Elles étaient inachevées, pour ainsi dire. On ne les voyait pas, les vitrines des magasins, les plateformes de chargement, les murs bombés à la peinture. Peut-être est-ce ce à quoi ressemblent les choses quand personne n'est là pour les voir.

Il entendit le bruit de la seconde chute, ou la sentit dans le tremblement de l'air, la tour nord qui s'écroulait, un effroi assourdi de voix au loin. C'était lui qui s'écroulait : la tour nord.

Ici, le ciel était plus clair, et il pouvait respirer plus facilement. Il y avait d'autres gens derrière lui, des milliers, qui remplissaient l'espace intermédiaire, une masse en quasi-formation, des gens à pied qui sortaient de la fumée. Il continua d'avancer jusqu'à ce qu'il soit obligé de s'arrêter. Cela le frappa vite, la conviction qu'il ne pouvait pas aller plus loin.

Il tenta de se dire qu'il était en vie, mais l'idée était trop obscure pour s'imposer. Il n'y avait pas de taxis et pratiquement aucune circulation, puis une vieille camionnette apparut, Electrical Contractor, Long Island City, s'arrêta à côté de lui, et le conducteur se pencha à la fenêtre par-dessus le siège du passager pour examiner ce qu'il voyait, un homme pétri de cendre, de matière pulvérisée, et lui demanda où il voulait aller. Ce n'est qu'une fois dans la camionnette et la portière refermée qu'il comprit où il allait depuis le début.

II

Ce n'était pas seulement ces jours et ces nuits au lit. Au début tout n'était que sexe, partout, dans les mots, les phrases, les gestes ébauchés, la moindre évocation d'une altération de l'espace. Elle posait un livre ou une revue et une petite pause s'instaurait autour d'eux. C'était le sexe. Ils marchaient ensemble dans une rue et se voyaient dans une vitrine poussiéreuse. Un escalier et c'était le sexe, la façon dont elle se collait au mur avec lui juste derrière, toucher ou ne pas toucher, effleurer ou étreindre, elle le sentait qui la pressait en dessous, qui glissait sa main autour de sa cuisse, l'immobilisant, la façon dont il s'insinuait en coulissant vers le haut, la façon dont elle lui saisissait le poignet. L'inclinaison qu'elle donnait à ses lunettes de soleil quand elle se retournait pour le regarder, ou le film à la télé quand la femme entre dans la pièce vide et peu importe qu'elle décroche le téléphone ou qu'elle ôte sa jupe du moment qu'elle est seule et qu'ils la regardent. La maison louée sur la plage c'était le sexe, quand elle y pénétrait le soir raidie par le long trajet en voiture, le corps comme soudé aux articulations, et qu'elle entendait le clapotis mou des vagues de l'autre côté des dunes, qui claquaient et qui rampaient, et c'était la ligne de séparation, le son, là-bas, dans l'obscurité qui martelait dans le sang le pouls de la terre.

Elle songeait à tout ça. Son esprit dérivait dans tout ça, les premiers temps, huit ans plus tôt, de la sinistre période ayant pour nom leur mariage. Elle avait le courrier du matin sur les genoux. Il y avait des questions à régler et il y avait des événements qui refoulaient ces questions, mais elle regardait le mur derrière la lampe, où ils semblaient projetés, l'homme et la femme, des corps incomplets mais réels et bien visibles.

Ce fut la carte postale qui provoqua le sursaut, sur le tas de factures et d'enveloppes diverses. Elle jeta un coup d'œil au message, le petit salut banal griffonné, envoyé par une amie qui séjournait à Rome, puis regarda à nouveau le recto de la carte. C'était une reproduction de la jaquette du poème de Shelley en douze chants, première édition, intitulé *La Révolte de l'Islam.* Même au format d'une carte postale, on voyait que la jaquette était magnifique, avec un grand R illustré incluant des créatures ornementales, une tête de cerf et ce qui était peut-être un poisson imaginaire doté d'une défense et d'une trompe. *La Révolte de l'Islam.* La carte provenait de la maison de Keats et de Shelley sur la piazza di Spagna, et elle avait compris dès les premières secondes de tension que la carte avait été postée une ou deux semaines plus tôt. C'était affaire de simple coïncidence, qu'une carte arrivât à ce moment précis, portant le titre de ce livre-là.

Ce n'était rien de plus, un moment perdu en ce vendredi d'une semaine longue comme une vie, trois jours après les avions.

Elle dit à sa mère : “Ce n'était pas possible, surgi d'entre les morts, il était là sur le seuil. Quelle chance que Justin ait été ici avec toi. Parce que cela aurait été affreux pour lui, de voir son père dans cet état. Comme un tas de suie grise de la tête aux pieds. Je ne sais pas, comme de la fumée, debout là, avec du sang sur le visage et sur ses vêtements.

— Nous faisions un puzzle, un puzzle d'animaux, des chevaux dans un pré.”

L'appartement de sa mère n'était pas loin de la Cinquième Avenue, avec des œuvres d'art aux murs, soigneusement espacées, et de petits bronzes sur des tables et des étagères. Aujourd'hui la salle était dans un état de joyeux désordre. Les jouets et les jeux de Justin étaient éparpillés par terre, subvertissant l'intemporalité de la pièce, et c'était bien, pensa Lianne, parce qu'il était difficile, autrement, de ne pas chuchoter dans un cadre pareil.

“Je ne savais pas quoi faire. Je veux dire, avec les téléphones en panne. Finalement, nous sommes allés à pied à l'hôpital. A pied, un pas après l'autre, comme quand on accompagne un enfant.

— Pourquoi était-il là, d'abord, dans ton appartement ?

— Je ne sais pas.

— Pourquoi n'est-il pas allé directement à l'hôpital ? Là-bas, dans le centre. Pourquoi n'est-il pas allé chez des amis ?”

“Des amis” signifiait “une petite amie”, un coup inévitable, il fallait qu'elle le porte, elle ne pouvait pas s'en empêcher.

“Je ne sais pas.

— Vous n'en avez pas discuté. Où est-il maintenant ?

— Il va bien. Débarrassé des médecins pour un moment.

— De quoi avez-vous discuté ?
— Pas de problème majeur, physique.
— De quoi avez-vous discuté ?" dit-elle.

Sa mère, Nina Bartos, avait enseigné à l'université en Californie et à New York, et pris sa retraite deux ans plus tôt, professeur Untel de Ceci et de Cela, comme avait dit Keith un jour. Elle était pâle et mince, sa mère, depuis qu'elle s'était fait opérer du genou. Elle était définitivement et résolument vieille. C'était ce qu'elle voulait, apparemment, être vieille et fatiguée, embrasser le grand âge et s'en entourer. Il y avait les cannes, il y avait les médicaments, il y avait les petites siestes de l'après-midi, les restrictions alimentaires, les rendez-vous chez les médecins.

"Il n'y a rien à discuter pour le moment. Il a besoin de rester à l'écart des choses, discussions comprises.
— Réticent.
— Tu connais Keith.
— C'est une chose que j'ai toujours admirée chez lui. Il donne l'impression qu'il y a quelque chose de plus profond que le ski et la randonnée, ou les parties de cartes. Mais quoi ?
— L'escalade. N'oublie pas l'escalade.
— Et tu y allais avec lui. Oui, j'oubliais."

Sa mère remua un peu dans son fauteuil, les pieds sur le pouf assorti, encore en peignoir dans la matinée bien avancée, mourant d'envie d'une cigarette.

"J'aime sa réticence, ou ce je ne sais quoi, dit-elle. Mais fais attention.
— Il est réticent quand tu es là, ou il l'était, les rares fois où il y a vraiment eu communication.
— Fais attention. Il était en grand danger, je le sais. Il avait des amis là-dedans. Ça aussi je le sais,

dit la mère. Mais si tu laisses ta compassion et ta bonne volonté affecter ton jugement."

Il y avait les conversations avec des amis et d'anciens collègues sur les opérations du genou, les opérations de la hanche, les atrocités de la mémoire à court terme et de l'assurance santé à long terme. Tout cela était tellement étranger à l'image que Lianne avait de sa mère qu'elle se disait qu'il y entrait sans doute une dimension théâtrale. Nina s'efforçait de s'adapter aux vraies complications de l'âge en leur conférant un aspect dramatique, et en s'octroyant un certain degré d'ironique distanciation.

"Et Justin. D'avoir à nouveau un père à la maison.

— Le petit va bien. Qui sait comment il va ? Il va bien, il a repris l'école, dit-elle. Ils ont rouvert.

— Mais tu t'inquiètes. Je le sais bien. Tu aimes nourrir ta peur.

— Et ensuite, qu'est-ce qui va arriver ? Tu ne te le demandes pas ? Pas seulement dans un mois. Dans les années à venir.

— Rien ne va arriver. Il n'y a pas d'ensuite. C'est ça qui allait arriver. Il y a huit ans, ils ont placé une bombe dans l'une des tours. Personne n'a dit Et ensuite ? C'était ça, ensuite. C'est quand on n'a pas de raison d'avoir peur qu'il faut avoir peur. Maintenant, c'est trop tard."

Lianne était devant la fenêtre.

"Mais quand les tours sont tombées.

— Je sais.

— Quand c'est arrivé.

— Je sais.

— J'ai pensé qu'il était mort.

— Moi aussi, dit Nina. Tous ces gens qui regardaient.

— A me dire il est mort, elle est morte.

— Je sais.

— En regardant tomber ces tours.

— D'abord l'une, et puis l'autre. Je sais", dit la mère.

Elle avait plusieurs cannes entre lesquelles choisir, et parfois, aux heures creuses et les jours de pluie, elle remontait la rue jusqu'au Metropolitan Museum et regardait des tableaux. Elle en regardait trois ou quatre, une heure et demie à les regarder. Elle regardait ce qui était infaillible. Elle aimait les grandes salles, les maîtres anciens, ce dont l'emprise était infaillible sur le regard et sur l'esprit, sur la mémoire et sur l'identité. Puis elle rentrait chez elle et elle lisait. Elle lisait et elle dormait.

"Bien sûr, l'enfant est une bénédiction mais sinon, tu le sais mieux que moi, épouser cet homme était une erreur colossale, et tu l'as voulu, tu es allé le chercher. Tu voulais vivre d'une certaine façon, tant pis pour les conséquences. Tu voulais une certaine chose et tu t'es dit Keith.

— Qu'est-ce que je voulais ?

— Tu t'es dit que Keith t'y conduirait.

— Qu'est-ce que je voulais ?

— Te sentir dangereusement vivante. C'était un trait que tu associais à ton père. Mais ce n'était pas le cas. Ton père était au fond un homme prudent. Et ton fils est un enfant beau et sensible, dit-elle. Mais sinon."

En vérité Lianne aimait cette pièce, oui, elle l'aimait dans sa forme la plus composée, sans les jeux et les jouets éparpillés. Sa mère ne vivait là que depuis quelques années, et Lianne avait tendance à considérer les lieux avec les yeux d'un visiteur, comme un espace se suffisant à lui-même, et tant pis si c'est un peu intimidant. Ce qu'elle aimait par-dessus tout, c'étaient sur le mur nord les deux natures mortes de Giorgio Morandi, un peintre que sa mère avait étudié et sur lequel elle avait écrit. C'étaient des assemblages de bouteilles, de cruches, de boîtes à biscuits, rien de plus, mais quelque chose dans les coups de pinceau renfermait un mystère qu'elle n'aurait su nommer, ou bien dans les contours irréguliers des vases et des bocaux, quelque reconnaissance intérieure, humaine et obscure, bien éloignée de la lumière et de la couleur des tableaux. *Nature morte.* Le terme paraissait plus fort qu'il n'avait besoin de l'être, plus menaçant, même, mais c'étaient des questions dont elle n'avait pas parlé avec sa mère. Que les significations latentes tournoient et ploient à tous les vents, libres du commentaire officiel.

"Tu aimais poser des questions, quand tu étais enfant. Tu creusais avec persévérance. Mais tu te trompais de sujets de curiosité.

— C'étaient mes sujets, pas les tiens.

— Keith voulait une femme susceptible de regretter ce qu'elle faisait avec lui. C'est son style, de faire faire à une femme quelque chose dont elle se repentira. Et ce que tu as fait, ce n'était pas juste une nuit ou un week-end. Il était fait pour les week-ends. Ce que tu as fait.

— Ce n'est pas le moment.

— Tu l'as épousé, cet homme.

— Et puis je l'ai fichu dehors. J'avais de solides objections, qui se construisaient avec le temps. Tes objections sont très différentes. Ce n'est pas un érudit, pas un artiste. Il ne peint pas, il n'écrit pas de la poésie. S'il le faisait, tu passerais outre à tout le reste. Il serait l'artiste enragé. Il aurait le droit de se comporter de manière inqualifiable. Dis-moi quelque chose.

— Cette fois tu as davantage à perdre. La dignité. Penses-y.

— Dis-moi une chose. Lequel des deux peintres a le droit de se comporter de manière inqualifiable, le figuratif ou l'abstrait ?"

Elle entendit la sonnerie et alla écouter ce que disait le portier à l'interphone. Elle savait d'avance de quoi il retournait. Ce devait être Martin qui montait, l'amant de sa mère.

III

Il signa un document, puis un autre. Il y avait des gens sur des civières et il y en avait d'autres, peu nombreux, dans des fauteuils roulants, et il avait du mal à écrire son nom et encore plus de mal à attacher dans son dos la blouse d'hôpital. Lianne était là pour l'aider. Puis elle ne fut plus là et un aide-infirmier le mit dans un fauteuil roulant pour le conduire dans un couloir et dans une succession de salles d'examens, tandis que des urgences filaient sur des brancards.

Des médecins en tenue stérile avec des masques en papier auscultèrent ses voies respiratoires et prirent sa tension. Ils guettaient d'éventuelles réactions mortelles à des blessures, à des hémorragies, à la déshydratation. Ils recherchaient des signes de réduction de l'irrigation sanguine des tissus. Ils étudièrent les contusions sur son corps et examinèrent le fond de ses yeux et de ses oreilles. Quelqu'un lui fit un électrocardiogramme. Par la porte ouverte il voyait passer des perfusions flottantes. Ils vérifièrent la préhension de sa main et prirent des radios. Ils lui dirent des choses qu'il ne pouvait absorber à propos d'un ligament ou d'un cartilage, un déchirement ou une luxation.

Quelqu'un ôta les débris de verre de son visage. L'homme parlait sans interruption, tout en maniant un instrument qu'il appelait une lancette pour extraire les éclats de verre qui n'étaient pas incrustés trop profondément. Il disait que la plupart des cas graves étaient dans des hôpitaux du bas de la ville ou dans le centre de soins d'urgence établi sur un quai. Il disait que les survivants n'apparaissaient pas dans les quantités escomptées. Il était dopé par les événements et ne pouvait plus s'arrêter de parler. Les médecins et les bénévoles étaient là à ne rien faire, disait-il, parce que la plupart des gens qu'ils attendaient étaient restés là-bas, dans les ruines. Il dit qu'il allait utiliser un clamp pour les fragments plus profonds.

"Là où il y a des attentats suicide. Peut-être que vous ne voulez pas entendre ça.

— Je ne sais pas.

— Dans les endroits où ça arrive, les survivants, les gens à proximité qui sont blessés, quelquefois, des mois plus tard, ils ont des grosseurs, disons, faute d'un autre terme, et on s'aperçoit que ça vient de petits fragments, de fragments minuscules du corps du kamikaze. Le terroriste explose en morceaux, il est littéralement atomisé, et les fragments de chair et d'os sont projetés à une telle vitesse et une telle force qu'ils heurtent les gens qui se trouvent à proximité et s'enfouissent dans leur corps. Vous imaginez ? Une étudiante est assise dans un café. Elle survit à l'attentat. Et puis, des mois plus tard, on découvre ces petites, quoi, ces esquilles de chair, de chair humaine, qui se sont incrustées dans la peau. Des shrapnels organiques, qu'on appelle ça."

Il extirpa un nouvel éclat de verre du visage de Keith.

"A mon avis, c'est pas un truc que vous devez avoir", dit-il.

Justin avait pour meilleurs amis une sœur et un frère qui vivaient dans un grand immeuble à dix rues de là. Lianne avait du mal à se rappeler leurs noms, au début, et elle les appelait les Faux Jumeaux, ensuite le surnom était resté. Justin disait que de toute façon c'était leur vrai nom, et elle pensait comme il est drôle ce gosse quand il veut.

Dans la rue elle croisa Isabel, la mère des Faux Jumeaux, et elles s'arrêtèrent pour parler.

"C'est ce que font les enfants, tout à fait, mais je dois reconnaître que je commence à m'interroger.

— C'est comme s'ils conspiraient.

— Oui, comme s'ils parlaient un langage codé, et ils passent beaucoup de temps à la fenêtre dans la chambre de Katie, avec la porte fermée.

— Vous savez qu'ils sont à la fenêtre.

— Parce que je les entends parler quand je passe et je sais que c'est là qu'ils sont. Ils sont à la fenêtre et ils parlent dans cette espèce de code. Peut-être que Justin vous raconte des choses.

— Pas vraiment, non.

— Parce qu'ils deviennent un peu bizarres, franchement, d'abord tout le temps qu'ils passent ensemble, comme blottis entre eux, et puis, je ne sais pas, à chuchoter indéfiniment dans cette espèce de charabia, c'est ce que font les enfants, tout à fait, mais quand même."

Lianne n'était pas sûre de bien comprendre de quoi il s'agissait. Il s'agissait de trois enfants qui étaient enfants ensemble.

"Justin commence à s'intéresser à la météo. Je crois qu'ils font les nuages, en classe, déclara-t-elle, consciente de l'inanité de ses paroles.

— Leurs chuchotis n'ont rien à voir avec les nuages.

— Bon.

— C'est quelque chose à propos de cet homme.
— Quel homme ?
— Ce nom. Vous l'avez entendu.
— Ce nom, dit Lianne.
— N'est-ce pas le nom qu'ils semblent marmonner constamment ? Mes enfants ne veulent absolument pas en parler. C'est Katie qui impose ça. Son frère en a peur, en fait. Je pensais que vous sauriez peut-être quelque chose.
— Pas vraiment, non.
— Alors Justin ne vous dit rien là-dessus ?
— Non. Quel homme ?
— Quel homme ? Justement", dit Isabel.

Il était grand, les cheveux en brosse, et elle lui trouvait l'air militaire, l'air d'un militaire de carrière, encore en forme et commençant à porter les traces d'une maturité qui ne devait rien au combat mais tout aux rigueurs blafardes de cette vie, à une séparation peut-être, à une existence solitaire, à une paternité à distance.

Il était au lit, à présent, et il la regardait, qui, à quelques pas, commençait à boutonner son chemisier. Ils dormaient dans le même lit parce qu'elle ne pouvait pas lui dire de prendre le canapé et parce qu'elle aimait l'avoir là contre elle. On aurait dit qu'il ne dormait pas. Il était sur le dos et il parlait mais surtout il écoutait et c'était bien comme ça. Elle n'avait pas besoin de connaître les opinions d'un homme sur toutes choses, plus maintenant et pas de cet homme-là. Elle aimait les espaces qu'il créait. Elle aimait s'habiller devant lui. Elle savait que le moment viendrait où il la presserait contre le mur avant qu'elle n'ait fini de s'habiller. Il sortirait du lit et la regarderait et elle laisserait son geste en suspens, en attendant qu'il vienne la presser contre le mur.

Il était allongé sur une longue table étroite à l'intérieur de l'appareil fermé. Il avait un coussin sous les genoux et deux rampes lumineuses au-dessus de lui et il essayait d'écouter la musique. Dans le grondement puissant du scanner, il fixait son attention sur les instruments, séparant un groupe d'un autre, les cordes, les bois, les cuivres. C'était un bruit de secousses violemment *staccato*, une clameur métallique qui lui donnait l'impression d'être plongé au cœur d'une cité de science-fiction sur le point d'être anéantie.

Il portait au poignet un appareil destiné à produire une image détaillée et le sentiment de confinement et d'impuissance lui rappelait une chose qu'avait dite la radiologue, une Russe dont il trouvait l'accent rassurant parce que ce sont des gens sérieux qui s'appesantissent sur chaque mot et peut-être était-ce pour cela qu'il avait opté pour la musique classique quand elle lui avait demandé de faire un choix. Il l'entendait maintenant dans son casque, qui disait que la prochaine séquence sonore durerait trois minutes, et quand la musique reprit il pensa à Nancy Dinnerstein, qui dirigeait une clinique du sommeil à Boston. Les gens la payaient pour les faire dormir. Ou à l'autre Nancy, Nancy quoi déjà, un épisode, avec du sexe en pointillé, à Portland, Oregon, sans patronyme. La ville portait un nom, mais pas la femme.

Le bruit était intolérable, une alternance de coups de boutoir fracassants et de pulsation électronique d'intensité variable. Il écoutait la musique en songeant à ce qu'avait dit la radiologue, qu'à peine était-ce terminé, avec son accent russe, on l'oubliait aussitôt, alors à quoi bon s'inquiéter, disait-elle, et il songea que cela ressemblait à une description de la mort. Mais là c'était autre chose, non, au sein d'un autre genre de bruit et l'homme emprisonné ne sort pas de là en glissant hors du tube. Il écoutait la musique. Il s'efforçait d'entendre les flûtes et de les distinguer des clarinettes, si c'étaient bien des clarinettes, mais il en était incapable et la seule force compensatrice c'était Nancy Dinnerstein, ivre à Boston, et à l'imaginer dans sa chambre d'hôtel pleine de courants d'air, d'où l'on avait une vue partielle sur le fleuve, il fut surpris par une érection ridicule et incontrôlée.

Il entendit dans le casque la voix dire que la prochaine séquence sonore durerait sept minutes.

Elle vit le visage dans le journal, l'homme du vol 11. Un seul des dix-neuf semblait à ce point avoir un visage, qui vous fixait de l'intérieur de la photo, tendu, avec ce regard acéré qui semblait trop informé pour appartenir à une photo sur un permis de conduire.

Elle reçut un coup de fil de Carol Shoup, directrice littéraire d'une grande maison d'édition. Carol avait parfois des contrats pour Lianne, qui était correctrice en free-lance et travaillait généralement chez elle ou à la bibliothèque.

C'était Carol qui avait envoyé la carte postale de Rome, de la maison de Keats et de Shelley, et elle était le genre de personne à clamer à coup sûr dès son retour : "Tu as bien reçu ma carte ?"

Toujours d'une voix qui oscillait entre une insécurité désespérée et un début de rancune.

Au lieu de quoi elle demanda avec douceur : "Je ne te dérange pas ?"

Depuis qu'il avait franchi le seuil et que les gens avaient commencé à en entendre parler, ils l'appelaient en demandant, "Je ne te dérange pas ?"

Bien sûr, ils voulaient dire, Tu es occupée, tu dois être occupée, il doit se passer tant de choses, veux-tu que je te rappelle, puis-je faire quelque chose, comment va-t-il, va-t-il rester quelque temps et, finalement, pouvons-nous dîner, tous les quatre, dans un endroit tranquille ?

C'était curieux, comme elle devenait laconique, peu diserte, elle en venait à détester l'expression, réduite à la seule duplication de son ADN, et à se méfier des voix, si uniment funèbres.

"Parce que sinon, disait Carol, nous pouvons parler à n'importe quel autre moment."

Elle se refusait à croire qu'elle pût être égoïste dans sa protection du survivant, déterminée à conserver les droits exclusifs. C'est là qu'il voulait être, hors du flux des voix et des visages, de Dieu et de la patrie, assis seul dans des pièces immuables, à proximité de ceux qui comptaient.

"Tiens, à propos, disait Carol, tu as reçu la carte que je t'ai envoyée ?"

Elle entendait de la musique venant de quelque part dans l'immeuble, à un étage inférieur, et elle fit deux pas vers la porte, en éloignant l'appareil de son oreille, puis elle ouvrit la porte et resta là à écouter.

Maintenant elle était au pied du lit et le regardait, couché là, une nuit, tard, quand elle avait fini de travailler, et elle finit par lui demander, tout doucement :

“Pourquoi es-tu venu ici ?

— Là est la question, n’est-ce pas ?

— Pour Justin, c’est ça ?”

C’était la réponse qu’elle voulait parce que c’était la plus logique.

“Pour qu’il puisse voir que tu étais en vie”, dit-elle.

Mais ce n’était que la moitié de la réponse et elle se rendit compte qu’elle avait besoin d’entendre autre chose en plus, une raison plus vaste à son geste, son intuition ou quoi que ce fût.

Il réfléchit un long moment.

“C’est difficile à reconstruire. Je ne sais pas comment fonctionnait ma tête. Un type est passé en camionnette, un plombier, je crois, et il m’a amené ici. On lui avait volé sa radio et il savait à cause des sirènes qu’il s’était passé quelque chose mais il ne savait pas quoi. A un moment il avait eu une vue dégagée du bas de la ville mais n’avait vu qu’une seule tour. Il a cru qu’une tour lui bouchait la vue de l’autre, ou bien la fumée. Il voyait la fumée. Il a roulé vers l’est, et il a regardé encore, et il n’y avait toujours qu’une seule tour. Une seule tour, c’était absurde. Puis il a repris vers le nord parce que c’est là qu’il allait, et finalement il m’a vu et m’a pris. A ce moment-là, la seconde tour était tombée. Huit radios en trois ans, m’a-t-il dit. Toutes volées. Un électricien, je crois. Il avait une bouteille d’eau qu’il me flanquait sans arrêt sous le nez.

— Ton appartement, tu savais que tu ne pouvais pas y retourner.

— Je savais que l’immeuble était trop près des tours et peut-être que je savais que je ne pouvais pas y retourner et peut-être que je n’y pensais même pas. De toute façon, ce n’est pas pour ça que je suis venu ici. C'était bien plus profond que ça."

Elle se sentait mieux à présent.

"Il voulait me conduire à l'hôpital, le type dans la camionnette, mais je lui ai dit de m'amener ici."

Il la regarda.

"Je lui ai donné cette adresse", souligna-t-il, et elle se sentit encore mieux.

C'était un truc simple, de la chirurgie sans hospitalisation, un ligament ou un cartilage, avec Lianne qui l'attendait à la réception pour le ramener à l'appartement. Sur la table, il pensa à son copain Rumsey, l'espace d'un instant, juste avant ou après la perte de conscience. Le médecin, l'anesthésiste, lui injecta un puissant sédatif ou quelque chose d'autre, une substance contenant un suppresseur de mémoire, ou peut-être y eut-il deux piqûres, mais il y avait Rumsey dans son fauteuil près de la fenêtre, ce qui signifiait que la mémoire n'était pas supprimée ou que la substance n'avait pas encore agi, un rêve, une image rémanente, peu importe, Rumsey dans la fumée, des choses qui tombaient.

Elle sortit dans la rue en pensant des pensées ordinaires, dîner, teinturerie, distributeur de billets, voilà, et maintenant, à la maison.

Il y avait beaucoup de travail à faire sur le livre qu'elle corrigeait pour une maison d'édition universitaire, sur les alphabets de l'Antiquité, et la date de remise approchait. Il y avait ça à faire, absolument.

Elle se demanda ce que l'enfant penserait du chutney à la mangue qu'elle avait acheté, à moins qu'il n'en eût déjà eu et qu'il eût détesté cela, chez les Faux Jumeaux, parce qu'un jour Katie en avait parlé, ou quelqu'un.

L'auteur était un Bulgare qui écrivait en anglais.

Et puis il y avait ça, les taxis, sur plusieurs files, trois ou quatre, qui fonçaient sur elle depuis le feu tricolore du carrefour le plus proche tandis qu'elle s'arrêtait au milieu de l'avenue pour déterminer son destin.

A Santa Fe, elle avait vu dans une vitrine un panonceau qui vantait les vertus d'un shampooing ethnique. Elle voyageait au Nouveau-Mexique avec un homme qu'elle voyait pendant la séparation, directeur de quelque chose sur une chaîne de télévision, le genre à étaler sa culture, les dents blanchies au laser, un type qui aimait son visage un peu long et la souplesse nonchalante de son corps, disait-il, jusqu'à ses extrémités noueuses, et sa façon de l'examiner, suivant du doigt les contours et méplats qu'il désignait en termes géologiques, et provoquant de sa part un rire intermittent, pendant un jour et demi, à moins que ce ne fût tout simplement l'altitude à laquelle ils baisaient, dans les cieux des hauts plateaux du désert.

Elle courait maintenant vers le trottoir d'en face, et elle se sentait comme une jupe et un chemisier sans corps, comme c'était agréable, dissimulée derrière le miroitement de la longue housse en plastique de la teinturerie qu'elle brandissait à bout de bras, entre elle et les taxis, pour se défendre. Elle imaginait les yeux des conducteurs, intenses et plissés, la tête tendue vers le volant, et la question était toujours là – de ce besoin qu'elle éprouvait d'être à la hauteur de la situation, comme l'avait dit Martin, l'amant de sa mère.

Cela, et Keith dans la douche ce matin, debout sous le jet, une silhouette floue, très loin à l'intérieur du plexiglas.

Mais ce qui lui faisait penser à du shampooing ethnique, au milieu de la Troisième Avenue, c'était une question à laquelle n'apporterait probablement aucune réponse le livre sur les alphabets de l'Antiquité, méticuleux décryptages, inscriptions sur terre cuite, écorce d'arbre, pierre, os, jonc. La bonne blague, à ses dépens, c'est que l'ouvrage en question avait été tapé sur une vieille machine à écrire mécanique, avec des corrections rédigées à la main par l'auteur, dans une écriture profondément émouvante et illisible.

Le premier flic lui dit d'aller au poste de contrôle, à une rue de là vers l'est, ce qu'il fit, et là il y avait la police militaire et des soldats en jeep, et un convoi de camions à benne et de voitures-balais qui franchissaient les chicanes en direction du sud. Il montra son justificatif de domicile et une pièce d'identité avec photo et le second flic lui dit d'aller au poste de contrôle suivant, un peu plus à l'est, ce qu'il fit, et il aperçut une barrière de chaînes tendue le long de Broadway, en plein milieu de l'avenue, gardée par une patrouille militaire équipée de masques à gaz. Il dit au flic de garde au poste de contrôle qu'il avait un chat à nourrir et que s'il mourait son fils ne s'en remettrait pas et le type exprima sa compréhension mais lui dit d'essayer le poste de contrôle suivant. Il y avait des camions de pompiers de premiers secours et des ambulances, il y avait des voitures de patrouille de police, des semi-remorques à plateau, des véhicules à plateforme élévatrice, qui tous franchissaient les chicanes pour s'enfoncer dans le linceul de poussière et de cendre.

Il montra au flic suivant son justificatif de domicile et sa pièce d'identité avec photo et lui dit qu'il avait des chats à nourrir, trois chats, et que s'ils mouraient ses enfants ne s'en remettraient pas, et il montra l'attelle sur son bras gauche. Il dut s'écarter pour laisser passer un troupeau d'énormes bulldozers et pelleteuses, qui franchirent les chicanes dans un vacarme d'engins infernaux en surrégime permanent. Il recommença avec le flic et lui montra son attelle au poignet et dit qu'il n'en avait que pour un quart d'heure dans l'appartement pour nourrir les chats et qu'ensuite il retournerait dans le haut de la ville, à l'hôtel, interdit aux chats, pour rassurer ses enfants. Le flic dit d'accord mais si on vous arrête là-bas dites bien que vous êtes passé par le poste de contrôle de Broadway, pas celui-ci.

Il se fraya un chemin dans la zone circonscrite, au sud et à l'ouest, franchissant des postes de contrôle de moindre importance et en contournant d'autres. Il y avait un volontaire de la garde nationale en tenue de combat et l'arme au poing, et de temps en temps il voyait une silhouette masquée, homme ou femme, obscure et furtive, les seuls autres civils. Les rues et les voitures étaient couvertes de cendre et il y avait de grands tas de sacs-poubelles au bord des trottoirs et contre les flancs des immeubles. Il marchait lentement, à l'affût de quelque chose qu'il ne pouvait pas identifier. Tout était gris, c'était flou et estompé, les façades des magasins derrière des rideaux de fer rouillés, une autre ville, ailleurs, en état de siège permanent, et une puanteur dans l'air qui imprégnait la peau.

Il s'arrêta à la barrière installée par Location Nationale de Barrières et scruta la brume, voyant les tiges en filigrane, tordues, qui étaient les dernières choses debout, résidu squelettique de la tour où il avait travaillé dix ans. Les morts étaient partout, dans l'air, dans les gravats, sur les toits environnants, dans les souffles de vent qui émanaient du fleuve. Ils étaient déposés dans la cendre et brumisés sur les vitres tout au long des rues, dans ses cheveux et sur ses vêtements.

Il s'aperçut que quelqu'un l'avait rejoint à la barrière, un homme avec un masque de protection et qui gardait un silence calculé, conçu pour être brisé.

"Regardez ça, dit-il finalement. Je me dis Je suis ici. C'est difficile à croire, être ici et voir ça."

Ses paroles étaient assourdies par le masque.

"J'ai marché jusqu'à Brooklyn, quand c'est arrivé, dit-il. Ce n'est pas là que j'habite. Je vis beaucoup plus au nord, dans le West Side, mais je travaille ici et quand c'est arrivé tout le monde a traversé le pont de Brooklyn et j'ai suivi le mouvement. J'ai traversé le pont parce qu'ils traversaient le pont."

On aurait dit un défaut de prononciation, ces mots étouffés et mal articulés. Il prit son portable et composa un numéro.

"Je suis sur place", dit-il, mais il dut répéter parce que la personne à qui il parlait ne l'entendait pas bien.

"Je suis sur place."

Keith s'éloigna en direction de son immeuble. Il vit trois hommes portant des casques de chantier et des vareuses NYPD de la police new-yorkaise, avec des chiens de secours tenus en laisse courte. Ils marchaient vers lui et l'un d'eux hocha la tête d'un air interrogateur. Keith lui dit où il allait, et mentionna les chats, les enfants. Le type s'arrêta pour lui dire que la tour numéro un de Liberty Plaza, de plus de cinquante étages, près de là où allait Keith, était sur le point de se casser la gueule. Les deux autres s'impatientaient, et le premier type lui dit que le gratte-ciel bougeait effectivement et de manière mesurable. Il opina et attendit qu'ils s'en aillent, puis se remit en route vers le sud puis l'ouest, par des rues pratiquement désertes. Deux juifs hassidiques se tenaient devant une boutique à la vitrine fracassée. Ils paraissaient vieux de mille ans. En approchant de chez lui, il vit des ouvriers équipés de masques respiratoires et de combinaisons protectrices qui nettoyaient le trottoir avec une énorme pompe aspirante.

Les portes d'entrée étaient défoncées. Pas du fait des pilleurs, pensa-t-il. Il songea que les gens avaient désespérément cherché un refuge, s'abritant où ils pouvaient quand les tours s'étaient effondrées. Le hall d'entrée empestait l'odeur des ordures restées dans les caves. Il savait que l'électricité avait été rétablie et qu'il n'y avait pas de raison de ne pas prendre l'ascenseur, mais il grimpa les neuf étages jusque chez lui, marquant une pause au troisième et au septième, à l'extrémité la plus proche des longs corridors. Il s'arrêtait et tendait l'oreille. L'immeuble semblait vide, et il sonnait vide. En entrant dans son appartement, il s'immobilisa un moment pour regarder autour de lui. Une croûte de poussière et de cendre recouvrait les fenêtres et il y avait, pris dedans, des fragments de papier et un feuillet intact. Tout le reste était encore comme lorsqu'il avait franchi la porte ce mardi matin là pour aller travailler. Non qu'il l'eût remarqué. Il habitait là depuis un an et demi, depuis la séparation, il avait trouvé un endroit près du bureau, où recentrer sa vie, satisfait du plus modeste privilège, celui de ne rien remarquer.

Mais maintenant il regardait. Un peu de lumière s'infiltrait entre les couches sableuses sur les fenêtres. Il voyait l'endroit autrement, à présent. Il était là, en pleine vue, sans rien qui compte pour lui dans ces deux pièces et demie de pénombre immobile, de vague odeur inhabitée. Il y avait la table de jeu et c'était tout, avec son revêtement d'étoffe verte, feutre ou feutrine, théâtre de la partie de poker hebdomadaire. L'un des joueurs disait feutrine, qui est une imitation du feutre, précisait-il, et Keith le lui concédait plus ou moins. C'était l'unique interlude sans complications de sa semaine, de son mois, la partie de poker – la seule anticipation qui ne fût pas marquée des zébrures coupables de liens tranchés. Abattre ou demander à voir. Feutre ou feutrine.

C'était la dernière fois qu'il se tiendrait là. Il n'y avait pas de chats, il n'y avait que des vêtements. Il en mit quelques-uns dans une valise, des chemises et des pantalons, et ses chaussures suisses de randonnée, et au diable le reste. Ça et ça et les chaussures suisses parce que les chaussures comptaient pour lui et la table de poker comptait aussi mais il n'en aurait plus besoin, deux joueurs tués et un gravement blessé. Une seule valise, c'était tout, et son passeport, ses chéquiers, son certificat de naissance et quelques autres documents, les papiers d'identité. Il était debout là à regarder et il ressentit quelque chose de si solitaire qu'il aurait pu le toucher de la main. A la fenêtre, la page intacte s'agitait sous la brise et il alla voir s'il pouvait la lire. Mais il regardait l'étroit pignon du numéro un de Liberty

Plaza et se mit à compter les étages, pour s'en désintéresser à mi-hauteur, la pensée ailleurs.

Il regarda dans le réfrigérateur. Peut-être pensait-il à l'homme qui avait vécu là et cherchait-il un indice dans les bouteilles et les pots en carton. A la fenêtre le papier frissonnait et il prit la valise et franchit la porte, la refermant à double tour derrière lui. Il parcourut une quinzaine de pas dans le corridor, tournant le dos à l'escalier, et se mit à parler d'une voix à peine plus audible qu'un chuchotement.

Il dit : "Je suis sur place", puis, plus fort : "Je suis sur place."

Dans la version filmée, il y aurait quelqu'un dans l'immeuble, une femme ébranlée nerveusement ou un vieil homme sans logis, et il y aurait un dialogue et des gros plans.

La vérité, c'est qu'il se méfiait de l'ascenseur. Il ne voulait pas le savoir mais il le savait, inévitablement. Il descendit à pied jusque dans le hall, sentant à chaque marche les ordures se rapprocher. Les types et leur pompe aspirante avaient disparu. Il entendait de lourds engins vrombir sur le site, du matériel de déblaiement, des excavatrices qui réduisaient le béton en poussière, et puis une sonnerie signalant un danger, l'effondrement éventuel d'une construction proche. Il attendit, tout le monde attendit, puis le vacarme reprit.

Il alla à la poste la plus proche chercher son courrier en attente, puis se mit en marche vers le nord, vers les chicanes, en songeant qu'il serait peut-être difficile de trouver un taxi à une époque où tous les chauffeurs de taxi de New York s'appelaient Mohamed.

IV

Leur séparation avait été placée sous le signe d'une certaine symétrie, l'engagement ferme que chacun avait pris auprès d'un groupe équivalent. Il avait sa partie de poker, six joueurs, dans le bas de la ville, un soir par semaine. Elle avait ses séances de mémorisation d'histoires, également hebdomadaires, à East Harlem, un groupe de cinq, six ou sept hommes et femmes aux stades préliminaires de la maladie d'Alzheimer.

Les parties de poker prirent fin après l'écroulement des tours, mais les séances gagnèrent en intensité. Les membres du groupe étaient assis sur des chaises pliantes dans une salle fermée par une porte de fortune en contreplaqué, située dans un grand centre socioculturel où régnait un vacarme qui se répercutait contre les murs des corridors. Il y avait des enfants qui couraient partout, des adultes dans des cours spéciaux. Il y avait des gens qui jouaient aux dominos et au ping-pong, des bénévoles qui préparaient des livraisons de nourriture pour les personnes âgées du quartier.

Le groupe avait été fondé par un psychologue clinicien qui laissait Lianne mener seule ces réunions, conçues exclusivement pour entretenir le moral. Elle et les autres parlaient un moment des événements dans le monde et dans leur vie, après quoi elle distribuait des blocs de papier ligné et des stylos bille, et leur suggérait un sujet sur lequel écrire, ou bien leur demandait d'en choisir un. Je me souviens de mon père, ce genre de choses, ou Ce que j'ai toujours voulu faire mais n'ai jamais fait, ou Mes enfants savent-ils qui je suis ?

Ils écrivaient pendant une vingtaine de minutes, puis chacun à son tour lisait ce qu'il ou elle avait écrit. Parfois cela l'épouvantait, les premiers signes de réaction en suspens, les pertes et les défaillances, les sombres préfigurations qui émergeaient de temps à autre d'un cerveau en train de commencer à s'écarter de la friction adhésive qui rend l'individu possible. C'était dans le langage, dans les lettres inversées, dans le mot perdu à la fin d'une phrase cahotante. C'était dans l'écriture menacée de liquéfaction. Mais il y avait mille moments privilégiés pour les membres du groupe, à qui était donnée là une chance de rencontrer les points de croisement entre intuition et mémoire que permet l'acte d'écrire. Ils riaient fort et souvent. Ils travaillaient à l'intérieur d'eux-mêmes, trouvant des récits qui roulaient et qui se bousculaient, et comme cela leur paraissait naturel, de raconter des histoires sur eux-mêmes.

Rosellen S. voyait son père entrer dans l'appartement après quatre ans d'absence. Il portait la barbe à présent, il avait le crâne rasé, et un bras en moins. Elle avait dix ans quand c'était arrivé et elle racontait l'événement sur le mode d'une convergence continue, d'une relation intime avec des détails physiques précis et des réminiscences rêveuses dépourvus de tout lien apparent – émissions de radio, cousins qui s'appelaient Luther, deux, et une robe que sa mère portait au mariage de quelqu'un, et ils l'écoutaient lire, chuchoter presque, *un bras en moins*, et Benny sur le siège à côté ferma les yeux et se balança pendant toute l'histoire. C'était leur salle de prière, disait Omar H. Ils convoquaient les puissances de l'autorité ultime. Nul ne savait ce qu'ils savaient, là dans la dernière minute de clarté, avant que tout ne se referme.

Ils signaient leurs pages de leur prénom suivi de la première lettre de leur nom. C'était une idée de Lianne, peut-être un peu affectée, pensait-elle, comme s'ils avaient été des personnages de romans européens. Ils étaient à la fois personnages et auteurs, capables de dire ce qu'ils voulaient, de bercer le reste dans le silence. Lorsque Carmen G. lisait ses textes, elle aimait les embellir d'expressions en espagnol pour imprégner le cœur de l'auditoire d'un incident ou d'une émotion. Benny T. détestait écrire, adorait parler. Il apportait des pâtisseries aux réunions, de grandes vessies gélifiées auxquelles personne d'autre ne voulait toucher. Le bruit se répercutait dans le corridor, des jeunes qui jouaient du piano ou de la batterie, d'autres sur des rollers, et aussi les voix et les accents des adultes, leur anglais polyglotte qui flottait dans tout le bâtiment.

Les membres du groupe écrivaient sur des temps difficiles, des souvenirs heureux, des filles qui devenaient des mères. Anna écrivait sur la révélation même de l'écriture, sur le fait de ne s'être jamais sue capable d'aligner dix mots et maintenant voyez tout ce qui sort. Telle était Anna C., une femme du quartier au corps trapu. Presque tous étaient du quartier, avec pour doyen Curtis B., quatre-vingt-un ans, un grand type taciturne avec un passé de prison et une voix, quand il lisait, qui sonnait comme une entrée de l'*Encyclopaedia Britannica*, qu'il avait lue de bout en bout à la bibliothèque du pénitencier.

Il y avait un sujet sur lequel tous les membres du groupe voulaient absolument écrire à l'exception d'Omar H., que l'idée rendait nerveux, mais il finit par s'y ranger. Ils voulaient écrire sur les avions.

A son retour dans le nord de la ville, l'appartement était vide. Il examina son courrier. Son nom était mal orthographié sur deux ou trois enveloppes, ce qui n'avait rien d'inhabituel, et il attrapa un stylo bille dans le pot à côté du téléphone pour rectifier les erreurs. Il n'aurait pas su dire quand il avait commencé à faire cela, ni pourquoi il le faisait. Il n'y avait pas de pourquoi. Parce que ce n'était pas lui, avec le nom mal orthographié, voilà pourquoi. Il l'avait fait et il continuait à le faire, et peut-être comprenait-il à un niveau de perception cérébrale reptilienne qu'il fallait qu'il le fasse, et qu'il continuerait à le faire au fil des années et des décennies. Il ne construisait pas cet avenir en termes clairs mais c'était probablement là, à ronronner sous son crâne. Jamais il ne corrigeait les fautes d'orthographe sur le courrier publicitaire à tarif réduit voué à la poubelle. Il avait failli, au début, et puis non. Le courrier poubelle avait été créé précisément pour cela, pour réduire les identités du monde à une seule, avec un nom mal orthographié. Dans la plupart des cas il procédait à la rectification relative à une lettre de la première syllabe de son nom de famille, Neudecker, et puis il ouvrait l'enveloppe. Jamais il n'effectuait la correction en présence d'un tiers. C'était un acte qu'il prenait soin de dissimuler.

Elle traversa le parc de Washington Square derrière un étudiant qui disait *si tout va bien* dans son portable. Il faisait beau, les joueurs d'échecs étaient à leurs tables, il y avait un tournage de mode en cours sous l'Arc. Ils disaient *si tout va bien*, ils disaient *oh my god* avec un ravissement mâtiné d'un léger effroi. Elle vit une jeune femme qui lisait sur un banc, en position du lotus. Lianne avait lu des haïkus, assise par terre en tailleur, dans les semaines et les mois qui avaient suivi la mort de son père. Elle pensa à un poème de Basho, ou plus exactement à son premier et à son troisième vers. Elle ne se rappelait plus le deuxième. *Même à Kyoto – Kyoto me manque.* Le deuxième vers lui échappait, mais elle ne pensait pas que ce fût important.

Une demi-heure plus tard elle était à Grand Central Station pour accueillir sa mère à la descente du train. Elle n'était pas venue récemment, et n'avait pas l'habitude de voir des policiers et des soldats en groupes compacts, ou des vigiles avec des chiens. Ailleurs, songea-t-elle, dans d'autres mondes, des aérogares poussiéreuses, des intersections majeures, c'est la routine et ce le sera toujours. Il ne s'agissait pas tant d'une pensée réfléchie que d'un papillonnement, d'un souvenir éclair, de villes qu'elle avait vues, foules et chaleur. Mais ici l'ordre normal était également en évidence, touristes qui prenaient des photos, rafales de banlieusards au pas de course. Elle se dirigeait vers le comptoir d'information pour vérifier le numéro de la porte d'arrivée lorsque son regard fut attiré par quelque chose, près de l'accès à la 42e Rue.

Il y avait des gens agglutinés près de l'entrée, des deux côtés, d'autres qui s'efforçaient de franchir les portes mais qui restaient apparemment intéressés par ce qui se passait à l'extérieur. Elle se fraya un chemin jusque sur le trottoir bondé. La circulation grossissait, des klaxons retentissaient. Elle se glissa le long d'une vitrine et leva les yeux vers la haute construction en fonte verte qui enjambe Pershing Avenue, ce segment de voie surélevée qui distribue la circulation de part et d'autre de la gare.

Un homme pendait là, au-dessus de la rue, la tête en bas. Il portait un costume classique, une jambe était repliée en l'air, les bras ballaient le long du corps. On apercevait à peine le harnais de sécurité qui sortait de son pantalon par la jambe tendue et qui était fixé à la rampe ornementée du viaduc.

Elle en avait entendu parler, de cet artiste de rue qu'on désignait comme l'Homme qui Tombe. Il était apparu plusieurs fois au cours de la semaine passée, à l'improviste, dans différents quartiers de la ville, suspendu à tel ou tel immeuble, toujours la tête en bas, en costume, cravate et chaussures de ville. Il les rappelait, bien sûr, ces moments terribles dans les tours en flammes, quand les gens tombaient ou se voyaient contraints de sauter. On l'avait vu suspendu à une balustrade dans un hall d'hôtel et la police l'avait expulsé d'une salle de concert et de deux ou trois immeubles d'habitation dotés de terrasses ou de toits accessibles.

La circulation s'était pratiquement immobilisée, maintenant. Il y avait des gens qui lui criaient des choses, indignés par ce spectacle qui mimait la désespérance humaine, le souffle ultime et fugace d'un corps et ce qu'il contenait. Qui contenait le regard du monde, pensa-t-elle. Il y avait là quelque chose d'atrocement clair, une chose que nous n'avions pas vue, la chute d'un corps unique qui entraîne un effroi collectif, un corps tombé parmi nous tous. Et maintenant cette petite saynète, songea-t-elle, suffisamment troublante pour arrêter les voitures et lui faire battre en retraite à l'intérieur de la gare.

Sa mère l'attendait à la porte d'arrivée, au niveau inférieur, appuyée sur sa canne.

Elle dit : "J'avais besoin de m'en aller de là.

— Je croyais que tu resterais encore au moins une semaine. Mieux vaut être là-bas qu'ici.

— J'ai envie d'être chez moi.

— Et Martin ?

— Il est resté là-bas. Nous sommes encore en pleine dispute. Je veux m'asseoir dans mon fauteuil et lire mes Européens."

Lianne prit le sac et elles empruntèrent l'escalator pour monter au niveau principal, noyé dans la lumière poussiéreuse qui tombait obliquement par les lucarnes. Près de l'escalier menant à la mezzanine est, il y avait près d'une douzaine de personnes autour d'un guide, les yeux fixés sur le ciel du plafond, les constellations dorées à la feuille, un volontaire de la garde nationale et son chien à proximité, et sa mère ne put retenir un commentaire sur l'uniforme que portait l'homme, la question du treillis de camouflage en plein Manhattan.

"Les gens partent, et toi tu reviens.

— Personne ne part, dit sa mère. Ceux qui partent n'ont jamais été ici.

— Je dois l'admettre. J'y ai pensé. Prendre le petit et partir.

— Ne me donne pas la nausée", dit sa mère.

Même à New York, songea-t-elle. Bien sûr qu'elle se trompait pour le deuxième vers du haïku. Elle le savait bien. Quel que fût ce vers, il était forcément essentiel pour le poème. *Même à New York – New York me manque.*

Elle guida sa mère à travers l'immense hall puis par un passage qui les ferait sortir trois rues plus loin, au nord de l'entrée principale. Là, la circulation serait fluide et il y aurait des taxis libres et pas trace de l'homme pendu la tête en bas, figé dans sa chute, dix jours après les avions.

C'est intéressant, non ? Coucher dans le même lit que ton mari, une femme de trente-huit ans et un homme de trente-neuf ans, et jamais le moindre souffle de sexualité. C'est ton ancien mari, qui, techniquement, n'a jamais été ex, l'inconnu que tu as épousé dans une autre vie. Elle s'habillait et se déshabillait, il la regardait et ne la regardait pas. C'était curieux mais intéressant. Il ne s'établissait pas de tension. C'était extrêmement curieux. Elle le voulait ici, tout près, mais n'y voyait pas une once de contradiction ou d'autodénégation intérieure. Simplement attendre, rien de plus, une grande pause en reconnaissance de mille jours et de mille nuits d'amertume, pas si faciles à écarter. Il y fallait du temps. Cela ne pouvait pas se passer comme les choses se passent en temps normal. Et c'est intéressant, non, cette façon que tu as d'aller et venir dans la chambre, à moitié nue par habitude, et le respect que tu manifestes à l'égard du passé, la déférence dont tu fais preuve vis-à-vis de ses mauvaises ferveurs, de ses passions erronées pour la blessure et la brûlure.

Elle voulait le contact et lui aussi.

La mallette était plus petite que la normale, d'un brun rouge avec des ferrures dorées, posée par terre dans le placard. Il l'avait déjà vue là mais comprit pour la première fois que ce n'était pas la sienne. Ce n'était pas celle de sa femme, ce n'était pas la sienne. Il l'avait vue, l'avait même située, perdue depuis longtemps dans une lointaine distance, comme un objet dans sa main, sa main droite, un objet pâli de cendre, mais c'est seulement maintenant qu'il savait pourquoi elle était là.

Il la prit et alla la poser sur la table du bureau. Elle était là parce qu'il l'avait apportée. Ce n'était pas sa mallette mais il l'avait emportée en quittant la tour et il l'avait avec lui quand il était arrivé à la porte. Elle l'avait nettoyée depuis, visiblement, et il était là à la regarder, un cuir pleine peau à la texture grenue, joliment lustré par le temps, avec l'une des ferrures de devant qui portait juste une légère brûlure. Il lissa du pouce la poignée capitonnée, en s'efforçant de se rappeler pourquoi il l'avait emportée. Il n'éprouvait aucune hâte à l'ouvrir. Il commença à se dire qu'il n'avait pas envie de l'ouvrir mais sans bien savoir pourquoi. Il passa le dos de la main sur le rabat et défit l'une des boucles. Le soleil éclaboussait la carte des constellations sur le mur. Il défit la deuxième boucle.

Il trouva un lecteur de CD et un casque. Il y avait une petite bouteille d'eau de source. Il y avait un téléphone portable dans la poche prévue à cet effet et une demi-barre chocolatée dans une poche plate destinée aux cartes de visite. Il nota trois encoches pour les crayons et juste un feutre à bille. Il y avait un paquet de cigarettes Kent et un briquet. Dans l'une des poches extérieures, il trouva dans une trousse de voyage une brosse à dents à ultrasons, et aussi un dictaphone numérique, plus sophistiqué que le sien.

Il examinait ces objets avec détachement. Il y avait quelque chose d'inconvenant à agir ainsi, de morbide, mais il était à une telle distance des objets contenus dans la mallette, des circonstances qui l'avaient mise entre ses mains, que cela n'avait sans doute pas d'importance.

Il y avait un calepin vierge avec une couverture en similicuir dans l'une des poches. Il trouva une enveloppe timbrée préadressée à AT & T, sans adresse d'expéditeur, et, dans le compartiment fermé par une glissière, un livre de poche, un guide pour l'achat de voitures d'occasion. Le CD à l'intérieur du lecteur était une compilation de musique brésilienne.

Le portefeuille avec l'argent, les cartes de crédit et le permis de conduire se trouvait dans l'autre poche extérieure.

Cette fois la femme surgit dans la boulangerie, la mère des Faux Jumeaux. Elle entra juste après Lianne et la rejoignit dans la file d'attente après avoir pris un numéro au distributeur, sur le comptoir.

"Je m'interroge juste au sujet des jumelles. Ce n'est pas, enfin, vous savez, un enfant particulièrement extraverti."

Elle adressa à Lianne un faux sourire chaleureux, dans des effluves de gâteaux recouverts de glaçage, un regard très entre-nous-les-mères, du genre nous savons l'une comme l'autre que ces enfants ont accès à d'immenses univers étincelants qu'ils ne partagent pas avec leurs parents.

"Parce qu'il les a toujours avec lui, ces derniers temps. Je me demandais juste, vous voyez, ce qu'il pourrait vous avoir dit d'une manière ou d'une autre."

Lianne ne savait pas de quoi elle parlait. Elle scruta la large face rougeaude de l'homme derrière le comptoir. La réponse n'était pas là.

"Il les partage avec mes enfants, et donc ce n'est pas ça, puisque leur père leur en a promis une paire, mais nous ne nous en sommes pas encore occupés, vous savez, des jumelles, ce n'est pas la priorité des priorités, et puis Katie est hyper-secrète et son frère est son frère, d'une loyauté sans faille.

— Vous voulez dire qu'est-ce qu'ils regardent, quand ils ont fermé leur porte ?

— Je me disais, peut-être que Justin.

— Ça ne peut pas être grand-chose, non ? Peut-être des rapaces. Vous êtes au courant pour les rouges-queues ?

— Non, c'est un truc à propos de Bill Lawton – rien d'autre. J'en suis sûre, absolument, parce que les jumelles font partie de tout le syndrome du secret dans lequel ces gosses sont plongés.

— Bill Lawton.

— Le type. Le nom que j'ai mentionné.

— Je ne crois pas, dit Lianne.

— C'est ça leur secret. Je connais le nom mais c'est tout. Et je pensais que Justin, peut-être. Parce que mes enfants à moi se ferment complètement dès que j'évoque le sujet."

Elle ignorait que Justin prenait les jumelles avec lui quand il allait chez les Faux Jumeaux. Ce n'étaient pas vraiment ses jumelles à lui, mais elle se disait que ce n'était pas bien grave qu'il s'en serve sans permission. A moins que ce ne le fût, songeait-elle, en attendant que le boulanger appelle son numéro.

"Est-ce qu'ils ne font pas les oiseaux, à l'école ?

— La dernière fois c'étaient les nuages.

— Finalement j'avais tort, pour les nuages. Mais ils étudient bel et bien les oiseaux et leur chant et leur habitat en ce moment, dit-elle à l'autre femme. Ils font des expéditions dans Central Park."

Elle se rendait compte à quel point elle détestait faire la queue, un ticket numéroté dans la main. Elle détestait ce régime de numéros attribués, suivi strictement, dans un espace confiné, sans rien d'autre, à la fin, qu'une petite boîte de gâteaux avec un nœud dessus.

Il n'était pas bien sûr de ce qui l'avait réveillé. Il était couché là, les yeux ouverts, à réfléchir dans l'obscurité. Puis il commença à entendre, qui venait de l'escalier et du couloir, qui montait d'un étage inférieur quelque part, de la musique, et il écoutait intensément à présent, des tambourins et des instruments à cordes et des voix massées dans les murs, mais tout bas, mais apparemment très loin, de l'autre côté d'une vallée, semblait-il, des hommes qui psalmodiaient des prières, des voix en chœur qui louaient Dieu.

Allah-aa Allah-aa Allah-aa.

Il y avait un taille-crayon à l'ancienne fixé à l'extrémité de la table dans la chambre de Justin. Elle se tenait sur le seuil et le regardait insérer chaque crayon dans l'ouverture puis tourner la manivelle. Il avait des crayons bicolores bleu et rouge, des crayons Cedar Point, des Dixon Trimlines, d'anciens Eberhard Faber. Il avait des crayons provenant d'hôtels à Zurich et à Hong-Kong. Il avait des crayons en écorce d'arbre, tordus et noueux. Des crayons de la boutique du Museum of Modern Art. Il avait des Mirado Black Warriors. Il avait des crayons d'un magasin de

SoHo le long desquels étaient gravés de cryptiques proverbes tibétains.

C'était affreux, en un sens, tous ces fragments de prestige échoués là, dans la chambre d'un petit gosse.

Mais ce qu'elle adorait regarder, c'était sa façon de souffler sur la pointe du crayon quand il avait fini de le tailler, pour chasser les minuscules copeaux. Et s'il l'avait fait toute la journée elle l'aurait regardé toute la journée, un crayon après l'autre. Il taillait et soufflait, taillait et soufflait, un rituel plus précis et plus rigoureux que la signature officielle d'un document d'Etat par onze hommes couverts de médailles.

Quand il la vit qui le regardait, il dit : "Quoi ?

— J'ai parlé avec la mère de Katie, aujourd'hui. Katie et comment s'appelle-t-il, déjà ? Elle m'a parlé des jumelles.

— Robert, dit-il.

— Le petit frère, Robert. Et sa grande sœur, Katie. Et cet homme dont vous parlez sans arrêt tous les trois. Est-ce que je devrais être au courant ?

— Quel homme ?

— Quel homme. Et quelles jumelles, dit-elle. Est-ce que tu es censé sortir les jumelles de la maison sans permission ?"

Il s'était levé et observait. Il avait les cheveux pâles, les cheveux de son père, et une certaine gravité corporelle, une retenue, bien à lui, qui le rendait d'une rigueur remarquable quand il jouait, quand il se livrait à une activité physique.

"Ton père t'a-t-il donné la permission ?"

Il s'était levé et il observait.

"Qu'est-ce que ce qu'on voit de cette chambre a de tellement intéressant ? Tu peux me dire ça, non ?"

Elle s'adossa à la porte, prête à se maintenir trois, quatre, cinq jours, dans le contexte du langage corporel des parents, ou jusqu'à ce qu'il réponde.

Il écarta une main de son corps, légèrement, la main sans le crayon, paume levée, et se livra à un infime changement d'expression faciale, qui vint dessiner un renfoncement arrondi entre le menton et la lèvre inférieure, telle la version muette, par un vieillard, de sa question initiale, à savoir : "Quoi ?"

Il était assis parallèlement à la table, l'avant-bras gauche posé le long du bord, et la main pendant à l'extrémité, le poing replié, détendu. Il releva la main sans lever l'avant-bras et la tint en l'air pendant cinq secondes. Il fit le geste dix fois.

C'était leur expression, *poing détendu*, l'expression du centre de rééducation, celle qu'ils utilisaient sur la feuille d'instructions.

Il trouvait les séances revigorantes, quatre fois par jour, les extensions du poignet, les étirements du cubitus. Elles faisaient office de contre-mesures parfaites vis-à-vis des contusions qu'il avait subies dans la tour, dans le chaos de la descente. Ce n'était pas l'IRM, ni la chirurgie, qui le rapprochait du bien-être. C'était ce modeste exercice à faire chez soi, le comptage des secondes, le comptage des répétitions, les moments de la journée qu'il réservait aux exercices, la poche de glace qu'il appliquait après chaque série d'exercices.

Il y avait les morts et les mutilés. Sa blessure était mineure mais ce n'était pas le cartilage déchiré qui était l'objet de cet effort. C'était le chaos, la lévitation des plafonds et des sols, les voix qui s'étranglaient dans la fumée. Il se concentrait profondément, assis là à faire travailler les formes de la main, la courbure du poignet vers le sol, la courbure du poignet vers le plafond, l'avant-bras à plat sur la table, la configuration pouce levé de certaines positions, l'usage de la main non concernée pour exercer une pression sur la main concernée. Il lavait son attelle dans de l'eau savonneuse tiède. Il n'ajustait pas son attelle sans consulter le kinésithérapeute. Il lisait la feuille d'instructions. Il repliait sa main en poing détendu.

Jack Glenn, son père, ne voulait pas se soumettre au long parcours de la démence sénile. De sa maison en bois du Nord du New Hampshire, il passa quelques coups de téléphone, et puis il se tua avec un vieux fusil. Elle ne connaissait pas les détails. Elle avait vingt-deux ans à l'époque et n'avait pas demandé de détails à la police locale. Quels détails pouvait-il y avoir qui ne fussent pas intolérables ? Mais elle ne pouvait que se demander s'il s'agissait du fusil qu'elle connaissait, de celui qu'il lui avait laissé prendre en main pour viser, mais pas tirer, le jour où, sans grande conviction, elle l'avait accompagné dans les bois, à l'âge de quatorze ans, pour aller chasser le sacripant. Elle était une fille des villes, et pas très sûre de ce qu'était un sacripant mais elle se souvenait nettement d'une chose qu'il lui avait dite ce jour-là. Il aimait bien parler de l'anatomie des voitures de course, des motos, des fusils de chasse, du fonctionnement des choses, et elle aimait bien l'écouter. C'était une marque de la distance entre eux, le fait qu'elle l'écoute avec une telle attention, des kilomètres, des semaines, des mois immuables.

Il avait levé l'arme, et avait dit : "Plus le canon est court, plus la détonation est puissante."

La force de l'expression, *détonation puissante*, avait traversé toutes ces années. La nouvelle de sa mort semblait chevaucher sur l'échine de ces deux mots. C'étaient des mots affreux, mais elle s'efforçait de se dire qu'il avait fait une chose courageuse. C'était beaucoup trop tôt. Il y avait du temps avant que la maladie ne s'implante solidement mais Jack se montrait toujours respectueux des petites foirades de la nature et il s'était dit que l'affaire était scellée. Elle tenait à croire que l'arme qui l'avait tué était celle qu'il avait calée contre l'épaule de sa fille au milieu des bosquets de tamaracs et d'épicéas dans la lumière tombante de cette journée dans le Nord.

Martin l'étreignit sur le seuil, avec gravité. Il s'était trouvé quelque part en Europe au moment des attentats, et il avait pris l'un des premiers vols transatlantiques quand ils avaient repris, de manière encore sporadique.

"Plus rien ne paraît excessif, dit-il. Rien ne m'étonne plus."

Sa mère était dans sa chambre, en train, finalement, de s'habiller pour la journée, à midi, et Martin arpentait la pièce en regardant des choses, enjambant des jouets de Justin, notant des changements dans la place de certains objets.

"Quelque part en Europe. C'est comme ça que je pense à toi.

— Sauf quand je suis ici", dit-il.

La main dressée, un petit bronze habituellement posé sur le guéridon en bambou était à présent sur la table de livres en fer forgé, près de la fenêtre, et le tableau de Nevelson avait été remplacé par la photo de Rimbaud.

"Mais même quand tu es ici, je t'imagine venant d'une ville lointaine et en route vers une autre ville lointaine, et ni l'une ni l'autre n'ont de forme ou de substance.

— C'est bien moi, je suis informe", dit-il.

Ils parlèrent des événements. Ils parlèrent des choses dont tout le monde parlait. Il la suivit dans la cuisine, où elle lui versa une bière. Elle parlait en versant.

"Les gens lisent de la poésie. Des gens que je connais, ils lisent de la poésie pour adoucir le choc et la souffrance, cela leur procure une sorte d'espace, quelque chose de beau dans le langage, dit-elle, qui leur apporte du réconfort ou de la sérénité. Je ne lis pas de poésie. Je lis les journaux. J'enfonce ma tête entre les pages et je deviens folle et enragée.

— Il y a une autre approche, qui consiste à étudier la question. Prends tes distances et réfléchis aux éléments, dit-il. Froidement, lucidement si tu y arrives. Ne te laisse pas démolir. Examine les données, mesure-les.

— Les mesurer, dit-elle.

— Il y a l'événement, il y a l'individu. Mesure-les. Laisse-les t'enseigner quelque chose. Regarde bien. Mets-toi à niveau."

Martin Ridnour était un marchand d'art, un collectionneur, un investisseur peut-être. Elle n'était pas sûre de ce qu'il faisait exactement ni de comment il le faisait mais elle le soupçonnait d'acheter de l'art pour le revendre, vite, avec un gros bénéfice. Elle l'aimait bien. Il parlait avec un accent et il avait un appartement ici, et un bureau à Bâle. Il passait du temps à Berlin. Il avait ou n'avait pas une femme à Paris.

Ils étaient revenus dans le salon, lui avec le verre dans une main et la bouteille dans l'autre.

"Il est probable que je ne sais pas de quoi je parle, dit-il. Parle, toi, et moi je boirai."

Martin était corpulent mais ne paraissait pas amolli par la bonne chère. Il était la plupart du temps en décalage horaire, pratiquement pas lavé et en costume fripé, arborant des allures de poète en exil, disait la mère de Lianne. Il n'était pas vraiment chauve, avec une ombre grise hérissée sur le crâne et une barbe de quinze jours, pas mal grise et jamais soignée.

"J'ai appelé Nina en débarquant ce matin. Nous partons pour une ou deux semaines.

— Bonne idée.

— Une belle maison ancienne dans le Connecticut, en bordure de mer.

— Tu sais organiser les choses.

— C'est une chose que je fais, oui.

— J'ai une question, dit-elle. Qui n'a rien à voir. Tu peux ne pas répondre. Une question qui vient de nulle part."

Elle le regardait, debout derrière le fauteuil, à l'autre bout de la pièce, qui vidait son verre.

"Est-ce que vous avez des rapports sexuels, tous les deux ? Cela ne me regarde pas. Mais pouvez-vous avoir des rapports sexuels ? Je veux dire, avec la prothèse du genou. Elle ne fait pas ses exercices."

Il partit vers la cuisine avec la bouteille et le verre, et répondit par-dessus son épaule, non sans amusement.

"Ce n'est pas avec son genou qu'elle a des rapports sexuels. Nous évitons le genou. Le genou est sacrément sensible. Mais nous nous arrangeons pour le contourner."

Elle attendit qu'il revienne.

"Cela ne me regarde pas. Mais elle me donne l'impression d'entrer dans une sorte de retraite. Et je me demandais, voilà tout.

— Et toi, dit-il. Avec Keith. Il est revenu avec toi, maintenant. C'est vrai ?

— Il pourrait partir demain. Personne ne sait.

— Mais il est dans ton appartement.

— Il est encore tôt. Je ne sais pas ce qui va se passer. Nous dormons ensemble, oui, si c'est ta question. Mais seulement techniquement."

Il manifesta un intérêt narquois.

"On partage le lit. En toute innocence, dit-il.

— Oui.

— Ça me plaît. Combien de nuits ?

— Il a passé la première nuit à l'hôpital, en observation. Et puis voilà : depuis. On est lundi. Six jours, cinq nuits.

— Je te demanderai des comptes rendus de progression", dit-il.

Il n'avait parlé avec Keith qu'une fois ou deux. C'était un Américain, pas un New-Yorkais, pas un membre du Manhattan des élus, ce groupe entretenu par voie de propagation contrôlée. Il avait tenté de se faire une idée des sentiments du jeune homme sur la politique et la religion, sur la voix et le style du terroir profond. Tout ce qu'il avait appris, c'est que Keith avait un jour eu un pitbull. Cela, au moins, semblait signifier quelque chose, un chien tout de crâne et de crocs, une race américaine, originellement conçue pour combattre et pour tuer.

"Un de ces jours, peut-être que Keith et toi aurez à nouveau l'occasion de parler ensemble.

— De femmes, je pense.

— Mère et fille. Tous les détails sordides, dit-elle.

— J'aime bien Keith. Je lui ai raconté une histoire, un jour, qui lui a plu. Sur des joueurs de cartes parce qu'il joue aux cartes. Sur des joueurs de cartes que je connaissais et sur leurs places respectives autour de la table, les mêmes chaque semaine, pendant près d'un demi-siècle. Et même plus, en fait. L'histoire lui avait plu."

Sa mère entra, Nina, en jupe sombre et chemisier blanc, appuyée sur sa canne. Martin l'étreignit brièvement puis la regarda s'installer dans le fauteuil, lentement, par mouvements fragmentés.

"Quelles vieilles guerres mortes nous menons, dit-elle. Je crois que dans ces derniers jours nous avons perdu mille ans."

Martin s'était absenté un mois. Il assistait au dernier stade de la transformation, la façon dont elle accueillait l'âge, l'attitude étudiée qui se tisse si facilement dans la réalité des choses. Lianne en éprouva de la tristesse pour lui. Les cheveux de sa mère ont-ils encore blanchi ? Prend-elle trop de médicaments contre la douleur ? A-t-elle eu une petite attaque à Chicago, à ce congrès ? Et, enfin, mentait-il sur leur activité sexuelle ? Elle a toute sa tête. Elle n'est guère indulgente envers les érosions normales, les noms qu'elle oublie de temps à autre, l'emplacement d'un objet qu'elle vient juste de poser quelque part, il y a un instant à peine. Mais elle est consciente de ce qui est important, de l'environnement au sens large, de l'altérité.

"Raconte-nous ce qu'ils font en Europe.

— Ils compatissent avec les Américains, dit-il.

— Raconte-nous ce que tu as acheté et vendu.

— Ce que je peux vous dire, c'est que le marché de l'art va stagner. De l'activité ici et là pour les maîtres modernes. A part ça, perspectives lugubres.

— Les maîtres modernes, dit Nina. Me voici soulagée.

— L'art comme trophée.

— Les gens ont besoin de leurs trophées."

Il parut réconforté par le sarcasme.

"Je viens à peine de mettre le pied dans la maison. Dans le pays, en fait. Et que fait-elle ? Elle me tourmente.

— C'est son boulot", dit Lianne.

Ils se connaissaient depuis vingt ans, Martin et Nina, amants presque tout ce temps, New York, Berkeley, quelque part en Europe. Lianne savait que l'attitude défensive qu'il adoptait parfois était un aspect de leur code intime de communication, et n'engageait rien de plus profond. Il n'était pas l'individu informe qu'il prétendait être ou que son corps mimait physiquement. Il était en vérité inébranlable, et compétent dans son métier, et aimable avec elle, et généreux envers sa mère. Les deux magnifiques natures mortes de Morandi étaient des cadeaux de Martin. Les photos de passeport, sur le mur opposé, venaient de Martin aussi, de sa collection, des documents vieillis, tamponnés, pâlis, de l'histoire mesurée en centimètres, et également magnifiques.

"Qui a faim ?" demanda Lianne.

Nina avait envie de fumer. Le guéridon était près du fauteuil à présent, avec le cendrier, le briquet, et le paquet de cigarettes.

Sa mère en alluma une. Elle observait, Lianne, avec une impression familière et un peu douloureuse, la façon dont Nina, à un certain point, commençait à la tenir pour invisible. La mémoire se logeait là, dans la manière dont elle refermait le briquet avec un claquement et le posait, dans le geste de la main et la volute de fumée.

"Des guerres mortes, des guerres saintes. Dieu pourrait apparaître demain dans le ciel.

— De qui serait-il le dieu ? dit Martin.

— Jusqu'à présent, Dieu était un juif urbain. Le voilà retourné dans le désert."

Les études de Lianne avaient eu pour objet de la mener à une érudition profonde, à des recherches sérieuses dans les domaines des langues ou de l'histoire de l'art. Elle avait parcouru l'Europe et une grande partie du Proche-Orient mais c'était du tourisme à la fin, avec des amitiés superficielles, sans authentiques recherches relatives aux croyances, aux institutions, aux langues, à l'art – c'est du moins ce que disait Nina Bartos.

"C'est de la panique pure et simple. Ils attaquent par panique.

— Jusque-là, oui, ce peut être possible. Parce qu'ils pensent que le monde est une maladie. Ce monde, cette société, les nôtres. Une maladie qui se propage, dit-il.

— Il n'y a pas de but qu'ils puissent espérer atteindre. Ils ne libèrent pas un peuple, ils ne chassent pas un dictateur. Ils tuent les innocents, rien de plus.

— Ils portent un coup à la domination de ce pays. Et ils s'y emploient pour montrer à quel point une grande puissance peut être vulnérable. Une puissance d'ingérence, d'occupation."

Il parlait doucement, les yeux fixés sur le tapis.

"Un camp a le capital, la main-d'œuvre, la technologie, les armées, les agences de renseignements, les villes, les lois, la police et les prisons. L'autre camp a quelques hommes prêts à mourir.

— Dieu est grand, dit-elle.

— Oublie Dieu, dit-il. Ce sont des questions qui concernent l'histoire. La politique, l'économie. Tout ce qui façonne les existences, des millions de gens, dépossédés, leurs vies, leurs consciences.

— Ce n'est pas l'histoire de l'ingérence de l'Occident qui ronge ces sociétés. C'est leur propre histoire, leur mentalité. Ils vivent dans un monde clos, par choix, par nécessité. Ils n'ont pas été de l'avant parce qu'ils ne voulaient pas, ou n'essayaient pas.

— Ils utilisent le langage de la religion, d'accord, mais ce n'est pas ce qui les pousse.

— La panique, voilà ce qui les pousse."

La colère de sa mère submergeait la sienne. Elle la respectait. Elle voyait la fureur implacable sur les traits de Nina, sans elle-même éprouver autre chose que de la tristesse, à entendre ces deux personnes, unies en esprit, adopter des positions à ce point opposées.

Martin se détendit, adoucissant le ton.

"D'accord, oui, c'est peut-être vrai.

— Ils nous font des reproches pour leurs échecs à eux.

— D'accord, oui. Mais ce n'est pas une agression contre un pays, une ville ou deux. Nous sommes tous des cibles, désormais."

Ils discutaient encore, dix minutes plus tard, quand Lianne quitta la pièce. Elle se planta devant le miroir de la salle de bains. Le moment lui parut factice, une scène dans un film, lorsqu'un personnage essaie de comprendre ce qui se passe dans sa vie en se regardant dans la glace.

Elle se disait, Keith est vivant.

Keith était vivant depuis six jours, depuis qu'il était apparu sur le seuil, et qu'est-ce que cela signifierait pour elle, qu'est-ce que cela changerait pour elle et son fils ?

Elle se lava les mains et le visage. Puis elle alla chercher une serviette dans le placard et se sécha, après quoi elle jeta la serviette dans le panier à linge et actionna la chasse d'eau. Elle n'actionnait pas la chasse d'eau pour faire croire aux autres qu'elle avait quitté le salon pour une raison pressante. La chasse d'eau ne s'entendait pas du salon. C'était pour son profit dérisoire à elle, ce geste. Peut-être était-ce pour marquer la fin de la pause, pour la faire sortir de là.

Que faisait-elle là ? Elle faisait l'enfant, songea-t-elle.

La conversation avait commencé à s'épuiser lorsqu'elle les rejoignit au salon. Il avait d'autres choses à dire, Martin, mais peut-être se disait-il que ce n'était pas le moment, pas maintenant, trop tôt, et il se dirigea vers les tableaux de Morandi accrochés au mur.

Il s'écoula à peine quelques instants avant que Nina ne s'assoupisse. Elle prenait toute une batterie de médicaments, une véritable roue mystique, le tracé rituel des heures et des jours sous forme de comprimés et de capsules, de couleurs, de formes et de nombres. Lianne l'observa. C'était difficile de la voir aussi étroitement calée dans un meuble, résignée et inerte, elle, l'énergique arbitre de l'existence de sa fille, toujours judicieuse, la femme qui avait donné naissance au mot *beauté* pour désigner tout ce qui excite l'admiration, qu'il s'agisse d'art, d'idées, d'objets, de visages d'hommes ou de femmes, de l'esprit d'un enfant. Tout cela réduit à une respiration humaine.

Sa mère n'était tout de même pas en train de mourir ? Détends-toi, s'admonesta-t-elle.

Elle ouvrait les yeux, enfin, et les deux femmes se regardèrent. Le moment se prolongeait, et Lianne ne savait pas, n'aurait su exprimer ce qu'elles partageaient de la sorte. Ou, si elle le savait, elle n'aurait su nommer les émotions qui s'entrechoquaient. C'était ce qu'il y avait entre elles, chaque minute passée ensemble ou séparées, ce qu'elles avaient connu et ressenti et ce qui viendrait ensuite, au fil des minutes, des jours, des années.

Martin était planté devant les tableaux.

"Je regarde ces objets, des objets de cuisine mais sortis de la cuisine, libérés de la cuisine, de la maison, de tout le côté pratique et fonctionnel. Et je dois être revenu dans une autre zone horaire. Je dois être encore plus désorienté que d'habitude après un long vol", dit-il. Il se tut un moment, puis reprit : "Parce que je vois sans cesse les tours dans cette nature morte."

Lianne le rejoignit devant le mur. Le tableau en question montrait sept ou huit objets, les plus grands sur un arrière-plan d'ardoise tracé à grands coups de brosse. Les autres objets étaient des coffrets et des boîtes à biscuits amoncelés, sur un fond encore plus sombre. Tout l'ensemble, dans cette perspective imprécise et ces couleurs essentiellement sourdes, exprimait une puissance étrange et dépouillée.

Ils regardaient ensemble.

Deux des éléments les plus hauts étaient sombres et lugubres, avec une fumée de taches et de traînées, et l'un d'eux était en partie caché par une bouteille à long col. La bouteille était une bouteille, blanche. Les deux objets sombres, trop obscurs pour être identifiés, étaient les choses dont parlait Martin.

"Que vois-tu ?" dit-il.

Elle voyait ce qu'il voyait. Elle voyait les tours.

V

Il entra dans le parc par l'Engineers' Gate, où les joggeurs s'étiraient et s'échauffaient avant de se mettre en piste. C'était une journée tiède et sereine, et il marcha sur la route parallèle à l'allée cavalière. Il avait une destination, mais n'était pas pressé d'y parvenir. Il regarda une vieille dame sur un banc qui pensait à quelque chose de lointain, tout en pressant contre sa joue une pomme vert pâle. La route était fermée à la circulation et il songea Tu viens au parc pour voir les gens, ceux qui dans la rue sont des ombres. Il y avait des joggeurs plus haut sur la gauche, sur la piste qui faisait le tour du réservoir, et d'autres sur l'allée cavalière juste au-dessus de lui, et d'autres encore sur la route asphaltée, des hommes avec de petites haltères, qui couraient, et des femmes qui couraient derrière des poussettes, qui poussaient des bébés, et des joggeurs avec des chiens en laisse. Tu viens au parc pour voir des chiens, songea-t-il.

La route bifurquait vers l'ouest et trois filles avec des écouteurs sur les oreilles le dépassèrent en rollers. La banalité, si peu remarquable d'ordinaire, lui tombait dessus bizarrement, presque comme en rêve. Il portait la mallette et il eut envie de faire demi-tour. Il monta la pente à l'oblique et longea les courts de tennis. Il y avait trois chevaux attachés à la barrière, avec des casques de police accrochés aux sacoches de selle. Une femme passa en courant, elle parlait d'une voix ravagée avec quelqu'un, sur son portable, et il eut envie de lancer la mallette dans le réservoir et de rentrer chez lui.

Elle habitait un immeuble à deux pas d'Amsterdam Avenue, et il grimpa les six étages jusqu'à son appartement. Elle paraissait hésitante, en le faisant entrer, et même, curieusement, un peu inquiète, et il se mit à lui expliquer, comme il l'avait fait la veille au téléphone, qu'il n'avait pas eu l'intention de ne pas lui rapporter sur-le-champ sa mallette. Elle était en train de dire quelque chose à propos des cartes de crédit dans le portefeuille, qu'elle n'avait pas fait opposition parce que, eh bien, tout avait disparu, elle pensait que tout était enfoui, perdu et disparu, et ils cessèrent de parler avant de recommencer, en même temps, jusqu'à ce qu'elle ébauche un petit geste d'à quoi bon. Il posa la mallette sur une chaise et s'approcha du canapé en disant qu'il ne pouvait pas rester très longtemps.

C'était une femme noire assez claire, de son âge ou presque, avec un air avenant, et un peu ronde.

Il dit : "Quand j'ai trouvé votre nom dans la mallette, après avoir trouvé votre nom et cherché dans l'annuaire et vu que vous y figuriez, j'étais en train de composer votre numéro, et c'est là que je me suis rendu compte.

— Je sais ce que vous allez dire.

— Je me suis dit pourquoi est-ce que je fais ça sans vérifier d'abord parce que cette personne est-elle seulement en vie ?"

Il y eut un silence et il se rendit compte de la douceur avec laquelle elle avait parlé pendant son discours chaotique.

“J’ai de la tisane, dit-elle. De l’eau gazeuse si vous préférez.

— De l’eau gazeuse. De l’eau de source. Il y a une petite bouteille dans la mallette. Que je me rappelle, voyons. Poland Spring.

— Poland Spring, dit-elle.

— Enfin, si vous voulez vérifier ce qu’il y a là-dedans.

— Bien sûr que non. Non”, dit-elle tranquillement.

Elle se tenait sur le seuil de la cuisine. On entendait par les fenêtres le bruit assourdi de la circulation.

Il dit : “Voyez-vous, ce qui s’est passé, c’est que je ne savais pas que je l’avais. Ce n’était même pas que j’avais oublié. Je crois que je ne savais pas.

— Je ne suis même pas sûre de connaître votre nom.”

Il dit : “Keith ?

— Vous me l’avez dit ?

— Je crois, oui.

— Le coup de téléphone était tellement inattendu.

— C’est Keith, dit-il.

— Vous travailliez chez Preston Webb ?

— Non, un étage au-dessus. Une petite boîte qui s’appelle Royer Properties.”

Il était debout maintenant, prêt à partir.

“Preston est en telle expansion. Je me disais que nous n’avions pas dû nous croiser.

— Non, Royer. Nous sommes pratiquement décimés, dit-il.

— Nous attendons de voir ce qui va se passer, où ils vont nous recaser. Je n’y pense pas beaucoup.”

Il y eut un silence.

Il dit : “Au début c’était Royer & Stans. Et puis Stans a été inculpé.”

Finalement il se dirigea vers la porte, et puis prit la mallette. Il marqua un arrêt, la main tendue vers la poignée de la porte, et la regarda, de l’autre côté de la pièce, et elle souriait.

“Pourquoi j’ai fait ça ?

— L’habitude, dit-elle.

— Je m’apprêtais à franchir la porte avec votre mallette. Une fois de plus. Votre inestimable héritage de famille. Votre téléphone portable.

— Ah, cette chose. J’ai cessé d’en avoir besoin quand je ne l’ai plus eue.

— Votre brosse à dents, dit-il. Votre paquet de cigarettes.

— Mon Dieu, non, mon coupable secret. Mais je suis descendue à quatre par jour.”

Elle lui fit signe de revenir sur le canapé, d’un ample mouvement du bras, le geste autoritaire d’une auxiliaire de la police pour faire avancer les choses.

Elle servit du thé accompagné d’une assiette de biscuits. Elle s’appelait Florence Givens. Elle plaça une chaise de cuisine de l’autre côté de la table basse et s’assit en diagonale.

Il dit : “Je sais tout de vous. Une brosse à dents à ultrasons. Vous vous brossez les dents avec des ondes sonores.

— Je suis dingue de gadgets. J’adore tous ces trucs-là.

— Pourquoi avez-vous un meilleur dictaphone que moi ?

— Je crois que je m’en suis servie deux fois.

— Je me servais du mien mais je ne l’écoutais jamais. J’aimais parler dedans.

— Que disiez-vous, quand vous parliez dedans ?

— Je ne sais pas. Mes chers compatriotes américains, dit-il.

— Je pensais que tout était perdu et disparu. Je n'ai pas signalé la perte de mon permis de conduire. Je n'ai rien fait, au fond, à part rester assise dans cette pièce."

Une heure plus tard, ils parlaient encore. Les biscuits étaient petits et infâmes mais il continuait à piocher dedans, mécaniquement, ne mangeant qu'une première bouchée minuscule et laissant les vestiges mutilés joncher l'assiette.

"J'étais devant mon écran et j'ai entendu l'avion approcher, mais seulement quand j'étais déjà par terre. A cette vitesse, dit-elle.

— Vous êtes sûre d'avoir entendu l'avion ?

— L'impact m'a projetée au sol, et puis j'ai entendu l'avion. Je me rappelle les bouches d'incendie. J'essaie de me rappeler les bouches d'incendie. Je sais qu'à un moment j'étais mouillée, complètement trempée."

Il comprit qu'elle n'avait pas eu l'intention de dire cela. Le propos avait des allures trop intimes, être complètement trempée, et elle dut s'interrompre un instant.

Il attendit.

"Mon téléphone sonnait. J'étais à mon bureau, maintenant, je ne sais pas, juste pour être assise, me ressaisir, et je décroche le téléphone. Là nous parlons, le genre bonjour, c'est Donna. C'est mon amie, Donna. Je lui dis, Tu as entendu ça ? Elle m'appelle de chez elle, à Philadelphie, pour dire qu'elle va venir. Je lui dis, Tu as entendu ça ?"

Elle se frayait un chemin, les souvenirs revenaient au fur et à mesure, s'interrompant souvent pour regarder dans le vide, revoir les choses, les plafonds effondrés et les escaliers obstrués, la fumée, toujours, et le mur écroulé, la cloison en plâtre, elle s'interrompait pour chercher le mot, et il attendait, les yeux fixés sur elle.

Elle était hébétée et avait perdu la notion du temps, disait-elle.

Il y avait de l'eau quelque part qui coulait ou qui tombait, qui dégringolait de quelque part.

Des hommes arrachaient leur chemise pour s'envelopper le visage, en guise de masques, à cause de la fumée.

Elle avait vu une femme aux cheveux brûlés, les cheveux brûlés et fumants, mais à présent elle n'était plus très sûre d'avoir vu ça ou d'avoir entendu quelqu'un le raconter.

Parfois ils devaient avancer à l'aveuglette, tant la fumée était dense, la main sur l'épaule de la personne devant.

Elle avait perdu ses chaussures, à moins qu'elle ne les eût retirées, et il y avait de l'eau comme un torrent dévalant d'une montagne.

L'escalier était bondé maintenant, et très lent, avec des gens qui arrivaient d'autres étages.

"Quelqu'un a parlé d'asthme. Maintenant que je raconte, ça me revient un peu. L'asthme, l'asthme. Une femme comme désespérée. Il y avait des figures paniquées. C'est à ce moment-là, je pense, que je suis tombée, carrément tombée, cinq ou six marches avant d'atterrir sur le palier, une dégringolade, et je me suis abattue de tout mon poids."

Elle voulait lui raconter tout. Il s'en rendait bien compte. Peut-être avait-elle oublié qu'il y était aussi, dans la tour, ou peut-être était-ce à lui qu'elle avait besoin de parler précisément pour cette raison. Il sut qu'elle n'en avait pas parlé, pas avec cette intensité, à personne d'autre.

"C'était la panique d'être piétinée même s'ils faisaient attention, même s'ils m'aidaient, mais c'était cette impression d'être par terre dans une foule et qu'on va vous piétiner, mais ils m'ont aidée et cet homme, je me rappelle, il m'a aidée à me remettre sur pied, un homme âgé, essoufflé, il m'a aidée, il m'a parlé jusqu'à ce que je sois en état de repartir."

Il y avait des flammes dans les cages d'ascenseur.

Il y avait un homme qui parlait d'un tremblement de terre géant. L'avion, elle avait tout oublié, et elle était prête à croire à un tremblement de terre alors même qu'elle avait entendu un avion. Et quelqu'un d'autre a dit, j'ai été dans des tremblements de terre, un homme en costume-cravate, ça, ce n'est pas un tremblement de terre, un homme distingué, un homme instruit, un cadre, ce n'est pas un tremblement de terre.

Il y avait des fils électriques qui pendaient, elle a senti un fil lui toucher le bras. Il a touché aussi un homme derrière elle et il a fait un bond en jurant, et puis il a ri.

La foule dans l'escalier, cette masse, qui trébuchait, qui pleurait, brûlée, pour certains, mais calme en général, une femme en fauteuil roulant et on la portait, et les gens se poussaient pour faire de la place, ils se rangeaient sur une seule file dans l'escalier.

Son visage exprimait un appel fervent, une sorte de supplication.

"Je sais que je ne peux pas être assise là saine et sauve et dire que je suis tombée dans un escalier quand toute cette terreur, tous ces morts."

Il ne l'interrompait pas. Il la laissait parler sans essayer de la rassurer. La rassurer à propos de quoi ? Elle était affaissée sur son siège, maintenant, elle parlait au plateau de la table.

“Les pompiers qui montaient au pas de course. Et l’asthme, l’asthme. Et des gens qui parlaient de bombe. Ils essayaient de parler sur des portables. Ils descendaient l’escalier en tapant des chiffres.”

C’est là que des bouteilles d’eau ont été passées depuis quelque part en bas, et des boissons fraîches, et les gens plaisantaient même un peu, les courtiers des salles de marchés.

C’est là que les pompiers grimpaient l’escalier en courant, ils allaient droit dedans, et les gens s’écartaient pour les laisser passer.

C’est là aussi qu’elle a vu monter quelqu’un qu’elle connaissait, un responsable de l’entretien, un type avec qui elle plaisantait quand elle le voyait, il l’a croisée en montant, il portait une grande barre de fer, comme un truc pour ouvrir une porte d’ascenseur bloquée, peut-être, elle essayait de trouver le mot pour ça.

Il attendit. Elle regardait au-delà de lui, tout à ses pensées, elle semblait préoccupée comme si elle avait essayé de se rappeler le nom de l’homme, et non celui de l’outil qu’il portait.

Finalement, il dit : “Levier.”

“Levier”, dit-elle, pensive, le revoyant.

Keith pensait avoir lui aussi vu l’homme, un type coiffé d’un casque de chantier, équipé d’un ceinturon avec des outils et des lampes électriques, et qui portait un levier, dont il tenait devant lui l’extrémité recourbée.

Aucune raison de s’en souvenir un jour, si elle ne l’avait pas mentionné. Ça ne veut rien dire, songea-t-il. Et pourtant si. Ce qu’il avait pu advenir de cet homme se situait en dehors du fait qu’ils l’avaient tous deux vu, en différents points de la descente, mais c’était important, confusément, qu’il eût été transporté à la croisée de ces souvenirs, conduit hors de la tour et introduit dans cette pièce.

Il était penché en avant, le coude calé sur la table basse, la bouche pressée contre la main, et il la regardait.

“Nous continuions simplement à descendre. L'obscurité, la lumière, encore l'obscurité. J'ai l'impression d'être encore dans l'escalier. Je voulais ma mère. Si je vis jusqu'à cent ans, je serai encore dans l'escalier. C'était si long que c'était presque normal, d'une certaine façon. Nous ne pouvions pas courir, alors il n'y avait pas de frénésie, pas de bousculade. Nous étions coincés ensemble. Je voulais ma mère. Ça ce n'est pas un tremblement de terre, à dix millions de dollars par an.”

Ils émergeaient du pire de la fumée, à présent, et c'est là qu'elle vit le chien, un aveugle avec un chien guide, pas loin devant, et on aurait dit un truc de la Bible. Ils avaient l'air si calme. On aurait dit qu'ils dispensaient le calme, avait-elle trouvé. Le chien était comme quelque chose de totalement apaisant. Ils avaient mis leur foi dans le chien.

“A la fin, je ne sais pas combien de temps il a fallu attendre, il faisait noir partout où nous étions, mais ensuite nous sommes sortis, nous avons longé des vitres, et nous avons vu le parvis, où c'était comme une ville bombardée, des choses en feu, nous avons vu des corps, nous avons vu des vêtements, des morceaux de métal comme des pièces détachées, des choses en mille morceaux. Ça a duré peut-être deux secondes. J'ai regardé deux secondes et j'ai détourné les yeux et puis nous avons traversé le hall souterrain et nous sommes remontés jusqu'à la rue.”

Ce furent ses seules paroles pendant un long moment. Il alla jusqu'à la chaise près de la porte et trouva les cigarettes dans la mallette, il en sortit une du paquet et la glissa entre ses lèvres, puis il trouva le briquet.

"Dans la fumée, tout ce que je pouvais voir, c'étaient les rayures sur les vareuses des pompiers, les bandes fluorescentes, et puis des gens dans les gravats, tout cet acier, tout ce verre, et juste des gens blessés qui étaient assis là dans leurs rêves, ils étaient comme des rêveurs perdant leur sang."

Elle se retourna et le regarda. Il alluma la cigarette et se dirigea vers elle pour la lui donner. Elle tira une bouffée, puis ferma les yeux et exhala la fumée. Quand elle rouvrit les yeux, il était à nouveau derrière la table, assis sur le canapé, les yeux fixés sur elle.

"Prenez-en une, dit-elle.

— Pas pour moi, non.

— Vous avez arrêté.

— Il y a longtemps. Quand je me prenais pour un athlète, dit-il. Mais soufflez dans ma direction. Ce serait agréable."

Au bout d'un moment elle se remit à parler. Mais il ne savait pas où elle était, quelque part en amont près du commencement, pensait-il.

Il pensait, Complètement trempée. Elle était complètement trempée.

Il y avait des gens partout qui cherchaient à se frayer un chemin dans l'escalier. Elle essayait de se rappeler des choses et des visages, des moments qui pourraient expliquer quelque chose ou révéler quelque chose. Elle avait foi dans le chien d'aveugle. Le chien allait tous les conduire en sécurité.

Elle refaisait encore le chemin et il était prêt à l'écouter encore. Il écoutait attentivement, notant chaque détail, s'efforçant de se retrouver lui-même dans la foule.

Sa mère l'avait clairement dit, des années auparavant.

"Il y a un genre d'homme, un archétype, qui est un modèle de fiabilité pour ses amis masculins, tout ce qu'un ami devrait être, un allié et un confident, qui prête de l'argent, qui donne des conseils, loyal et tout ça, mais qui est une abomination pour les femmes. Un enfer. Plus une femme s'en approche, et plus il se rend compte qu'elle n'est pas l'un de ses copains. Et plus ça devient atroce pour elle. Et ça, c'est Keith. Voilà l'homme que tu vas épouser."

Voilà l'homme qu'elle épouse.

Il était à présent une présence qui planait. Dans les pièces flottait la sensation d'une existence qui s'était gagné une attention respectueuse. Il n'avait pas encore tout à fait réintégré son corps. Même le programme d'exercices post-opératoires qu'il accomplissait pour son poignet paraissait un peu détaché, quatre fois par jour, un ensemble curieux de flexions et d'extensions aux allures de prière dans quelque lointaine province nordique, au sein d'un peuple opprimé, assorti de périodiques applications de glace. Il passait du temps avec Justin, l'emmenait à l'école et allait le chercher, l'aidait à faire ses devoirs. Au début il portait une attelle, qu'il ne mit plus ensuite. Il emmenait l'enfant au parc pour jouer à la balle. Le gosse pouvait lancer une balle de baseball à longueur de journée et jouir d'un pur et inépuisable bonheur, préservé de tout péché commis par quiconque à travers les âges. Lancer et attraper. Elle les regardait sur un terrain à proximité du musée, dans le soleil qui sombrait. Quand elle voyait Keith accomplir avec la balle une sorte de numéro – de sa main droite, celle qui était intacte, il faisait rebondir la balle sur le dos de sa main puis projetait le bras en avant pour la faire reculer le long de l'avant-bras, avant de la lancer en l'air avec son coude et de la rattraper du revers de la main –, elle voyait un homme qu'elle n'avait encore jamais connu.

En chemin vers la 116e Rue, elle s'arrêta au bureau de Harold Apter, près de la 80e Rue est. Elle le faisait de temps en temps, pour y déposer des photocopies des textes écrits par son groupe, et discuter de leur situation en général. C'est là que le Dr Apter recevait les gens en consultation, des malades d'alzheimer et d'autres.

Apter était un homme frêle aux cheveux frisés qui paraissait conçu pour dire des choses drôles mais n'en disait jamais. Ils parlèrent de la déliquescence de Rosellen S., du comportement bizarre de Curtis B. Elle lui confia qu'elle avait envie de resserrer la fréquence des réunions à deux par semaine. Il lui dit que ce serait une erreur.

"A partir de maintenant, comprenez-vous, il s'agit uniquement de déclin. Nous devons inévitablement affronter des évolutions réductrices. Leur situation deviendra de plus en plus délicate. Ces rencontres ont besoin d'être espacées. Vous ne voulez pas qu'ils ressentent l'urgence de tout écrire, de tout dire avant qu'il ne soit trop tard. Vous voulez qu'ils se réjouissent de ces réunions, et non qu'ils se sentent pressés ou menacés. L'écriture est un régal jusqu'à un certain point. Puis d'autres choses prendront le dessus."

Il fixa sur elle un regard perçant.

“Ce que je dis est simple. Tout cela est pour eux, dit-il.
— Que voulez-vous dire ?
— C’est à eux. Ne vous en emparez pas.”

Ils écrivirent sur les avions. Ils écrivirent où ils étaient quand c’était arrivé. Ils écrivirent sur les gens qu’ils connaissaient qui étaient dans les tours, ou près de là, et ils écrivirent sur Dieu.

Comment Dieu avait-il pu laisser faire cela ? Où était Dieu quand c’était arrivé ?

Benny T. était heureux de ne pas avoir la foi parce qu’il l’aurait perdue après ça.

Je suis plus près de Dieu que jamais, écrivit Rosellen.

C’est le diable. C’est l’enfer. Tout ce feu et cette souffrance. Tant pis pour Dieu. C’est ça l’enfer.

Omar H. avait eu peur de sortir dans la rue les jours qui avaient suivi. Les gens le regardaient, lui semblait-il.

Je ne les ai pas vus se tenir les mains. J’aurais voulu voir cela, écrivit Rosellen.

Carmen G. voulait savoir si tout ce qui nous arrive fait nécessairement partie du programme de Dieu.

Je suis plus près de Dieu que jamais, plus près, plus près, je serai plus près.

Eugene A., lors d’une de ses rares apparitions, écrivit que Dieu sait des choses que nous ne savons pas.

Des cendres et des ossements. Voilà ce qui reste des plans divins.

Mais quand les tours sont tombées, écrivit Omar.

J’entends tout le temps qu’ils se tenaient par les mains quand ils ont sauté.

Si Dieu laisse faire ça, avec les avions, est-ce que c'est Dieu qui m'a fait me couper le doigt quand je coupais du pain ce matin ?

Ils écrivaient et puis lisaient ce qu'ils avaient écrit, chacun à son tour, des observations et des échanges et des monologues les suivaient.

"Montrez-nous ce doigt, dit Benny. Nous voulons l'embrasser."

Lianne les encourageait à parler et à débattre. Elle voulait tout entendre, les choses que tout le monde disait, des choses ordinaires, et les proclamations de foi dans leur nudité, et la profondeur des sentiments, la passion qui saturait la pièce. Elle avait besoin de ces hommes et de ces femmes. L'observation du Dr Apter la troublait parce qu'elle touchait quelque chose de vrai. Elle avait besoin de ces gens. Il était même possible que le groupe signifiât davantage pour elle que pour eux. Ici il y avait quelque chose de précieux, quelque chose qui suinte et qui saigne. Ces gens étaient l'incarnation vivante de la chose qui avait tué son père.

"Dieu dit que quelque chose arrive, et ça arrive.

— Je ne respecte plus Dieu, après ça.

— On s'assied pour écouter, et Dieu parle ou ne parle pas.

— Je marchais dans la rue pour aller me faire couper les cheveux chez le coiffeur. Quelqu'un arrive en courant.

— J'étais aux chiottes. Je me suis détesté après. Les gens disaient où étais-tu quand c'est arrivé ? Je ne leur disais pas où j'étais.

— Mais vous vous en souvenez pour nous le dire. C'est magnifique, Benny."

Ils interrompaient, faisaient des gestes, changeaient de sujet, parlaient plus fort que les autres, fermaient les yeux sous le coup de la réflexion parce que les revisitait la lugubre expérience de l'événement lui-même.

“Et les personnes que Dieu a sauvées ? Sont-elles de meilleures personnes que celles qui sont mortes ?

— Ce n'est pas à nous de poser la question. Nous ne posons pas de questions.

— Un million de bébés meurent en Afrique et il nous est impossible de poser des questions.

— J'ai cru que c'était la guerre. J'ai cru que c'était la guerre, disait Anna. Je suis restée chez moi et j'ai allumé une bougie. Ce sont les Chinois, ma sœur a dit, elle s'était toujours méfiée d'eux avec la bombe.”

Lianne se débattait avec la notion de Dieu. On lui avait appris à croire que la religion rend les gens dociles. Tel est l'objectif de la religion, ramener les gens à l'état infantile. Effroi et soumission, disait sa mère. Voilà pourquoi la religion parle si puissamment en termes de lois, de rituels, et de châtiments. Et magnifiquement aussi, inspirant la musique et l'art, élevant la conscience chez les uns, la réduisant chez les autres. Les gens tombent en transe, les gens se retrouvent littéralement à terre, les gens rampent sur de grandes distances ou marchent en processions compactes, en se flagellant, en se mutilant. Et nous tous, les autres, peut-être sommes-nous ébranlés plus en douceur, rattachés à quelque chose au tréfonds de l'âme. Puissance et beauté, disait sa mère. Nous voulons transcender, nous voulons franchir les limites de la compréhension inoffensive, et quel meilleur moyen d'y parvenir que par l'illusion ?

Eugene A. avait soixante-dix-sept ans, les cheveux hérissés en pointes façonnées au gel, un anneau à l'oreille.

“J’étais en train de récurer l’évier pour une fois dans ma vie, quand le téléphone se met à sonner. C’est mon ex-femme, dit-il. A qui je n’ai pas parlé depuis quelque chose comme dix-sept ans, est-ce qu’elle est même vivante ou morte, qui appelle de quelque part, je ne sais même pas prononcer le nom, en Floride. Je dis quoi ? Elle dit laisse tomber quoi. Toujours cette même voix sans aucun respect. Elle dit allume la télé.

— J’ai dû regarder chez un voisin, dit Omar.

— Dix-sept ans sans un mot. Regardez ce qu’il faut qu’il arrive pour qu’elle se mette enfin dans la tête d’appeler. Allume la télé, qu’elle me dit.”

La conversation entrecroisée se poursuivait.

“Je ne pardonne pas à Dieu ce qu’il a fait.

— Et comment vous expliquez ça à un enfant dont la mère ou le père ?

— Aux enfants, on leur ment.

— J’aurais voulu voir ça, ceux qui se tenaient par la main.

— Quand on voit une chose se passer, en principe elle est réelle.

— Mais Dieu. C’est Dieu qui a fait ça, ou non ?

— On le regarde pour de vrai. Sauf que ça n’est pas vraiment en train de se passer.

— Il fait de grandes choses. Il secoue le monde, dit Curtis B.

— Moi je dirais qu’au moins il n’est pas mort avec un tube dans l’estomac ou une poche à la hanche pour ses excréments.

— Des cendres et des ossements.

— Je suis plus près de Dieu, je le sais, nous le savons, ils le savent.

— Ici, c’est notre salle de prière”, dit Omar.

Personne n’écrivit un seul mot sur les terroristes. Et dans les échanges qui suivirent les lectures, personne ne parla des terroristes. Elle les y invita. Vous avez bien quelque chose à dire, un sentiment à exprimer, dix-neuf hommes débarquent ici pour nous tuer.

Elle attendit, sans trop savoir ce qu'elle voulait entendre. Puis Anna C. mentionna un homme qu'elle connaissait, un pompier, disparu dans l'une des tours.

Tout du long, Anna était restée un peu en retrait, n'intervenant qu'une fois ou deux, d'une voix neutre. Elle s'aidait à présent de ses mains pour conduire son récit, implacablement carrée dans son petit fauteuil pliant, et personne ne l'interrompit.

"Si le type a une crise cardiaque, on dit que c'est sa faute. Il mange, il mange trop, pas d'exercice, pas raisonnable. C'est ce que j'ai dit à sa femme. Ou bien il meurt du cancer. Il fumait et il n'arrivait pas à s'arrêter. Il était comme ça, Mike. Si c'est un cancer, c'est un cancer du poumon et on dit que c'est sa faute. Mais ça, ce qui s'est passé, c'est beaucoup trop gros, c'est en dehors, de l'autre côté du monde. Ces gens-là, on ne peut pas les atteindre ni même voir leurs photos dans le journal. On peut voir leurs figures mais ça veut dire quoi ? Leur donner des noms, ça ne veut rien dire. J'étais donneuse de noms quand je n'étais pas encore née, et est-ce que je sais comment ces gens-là s'appellent ?"

Lianne soupçonnait ce dont il s'agissait. C'était une réaction définie en termes de vengeance et elle l'appréciait, le petit souhait du tréfonds, si vain qu'il fût au sein d'une tourmente infernale.

"Le type meurt dans un accident de voiture ou en traversant la rue, heurté par une voiture, on peut tuer une personne mille fois dans sa tête, le conducteur. On ne pourrait pas le faire pour de bon, en toute honnêteté, parce qu'on n'a pas les ressources qu'il faudrait, mais en pensée si, on pourrait l'imaginer et en tirer profit. Mais là, avec ces gens, on ne peut même pas l'imaginer. On ne sait pas quoi faire. Parce qu'ils sont à des millions de kilomètres de notre vie. Et puis qu'en plus, ils sont morts."

Il y avait la religion, et puis il y avait Dieu. Lianne voulait ne pas croire. L'incrédulité était la voie menant à la clarté de la pensée et des desseins. A moins que ce ne fût qu'une autre forme de superstition ? Elle voulait mettre sa confiance dans les forces et les processus du monde naturel et en rien d'autre, dans la réalité perceptible et l'approche scientifique, hommes et femmes seuls sur terre. Elle savait qu'il n'y avait pas de conflit entre la science et Dieu. L'un ne va pas sans l'autre. Mais elle ne voulait pas. Il y avait les savants et les philosophes qu'elle avait étudiés en classe, les livres qu'elle avait lus comme des messages passionnants, personnels, qui la faisaient parfois trembler, et il y avait l'art sacré qu'elle avait toujours aimé. Des sceptiques créaient cette œuvre, et des croyants ardents, et ceux qui passaient du doute à la foi, et elle était libre de penser et de douter et de croire simultanément. Mais elle était dans le refus. Dieu l'encombrerait, la rendrait plus vulnérable. Dieu serait une présence qui demeurait inimaginable. Elle ne voulait qu'une chose, étouffer la pulsation de la foi chancelante qu'elle avait entretenue presque toute sa vie.

Il commença à envisager la journée, la minute. C'était le fait d'être ici, seul dans le temps, qui l'y incitait, le fait de se trouver à distance des stimulations du quotidien, de toutes les formes fluides de la communication professionnelle. Les choses paraissaient immobiles, elles semblaient plus dessinées, curieusement, d'une manière qu'il ne comprenait pas. Il commença à discerner ce qu'il faisait. Il remarquait des choses, tous les petits battements perdus d'une journée ou d'une minute, la façon dont il se léchait le pouce et s'en servait pour ramasser une miette de pain et la mettre distraitement dans sa bouche. Sauf que cela n'avait plus rien de distrait. Il n'y avait plus rien qui parût familier, être ici, de nouveau en famille, et il se sentait bizarre à ses propres yeux, ou peut-être avait-ce toujours été le cas, mais maintenant c'était différent parce qu'il se tenait en observation.

Il y avait les trajets jusqu'à l'école avec Justin et les trajets de retour à la maison, seul, ou ailleurs, et puis il retournait chercher l'enfant à l'école et c'était encore le retour à la maison. Il y avait dans ces moments-là une allégresse contenue, un sentiment presque dissimulé, une chose qu'il savait mais à peine, un chuchotement d'auto-divulgation.

L'enfant essayait de ne s'exprimer que par monosyllabes pendant des périodes prolongées. C'était une chose qu'ils faisaient dans sa classe, un jeu des plus sérieux destiné à apprendre aux enfants quelque chose sur la structure des mots et sur la discipline requise pour former des pensées claires. Plaisantant à moitié, Lianne disait que l'exercice avait quelque chose de totalitaire.

"Ça m'aide à aller lentement quand je réfléchis", disait Justin à son père, tout en mesurant chaque mot, tout en évaluant le décompte des syllabes.

Keith allait lentement, lui aussi, pour se détendre intérieurement. Lui qui voulait naguère s'émanciper, jour et nuit, de la conscience de soi, se faire pur corps en mouvement, se surprend désormais à dériver à l'intérieur de moments de réflexion, non pas à penser au moyen d'unités discrètes, solides et reliées, mais uniquement à absorber ce qui vient, extrayant des choses du temps et de la mémoire pour les lâcher dans l'espace obscur où se tient son expérience accumulée. Sinon il reste debout, à regarder par la fenêtre et voir ce qui se passe dans la rue. Il se passe toujours quelque chose, même les jours les plus calmes et au cœur de la nuit, si on reste immobile un moment, à regarder.

Quelque chose lui passa par l'esprit, une expression, *shrapnel organique.* Qui avait quelque chose de familier, mais restait dénuée de sens. Puis il vit une voiture en double file de l'autre côté de la rue et pensa à autre chose et puis à autre chose encore.

Il y avait les allers-retours de l'école, les repas qu'il préparait, ce qu'il avait rarement fait pendant l'année précédente parce que casser des œufs pour le dîner lui donnait l'impression d'être le dernier homme en vie. Il y avait le parc, par tous les temps, et il y avait la femme qui vivait de l'autre côté du parc. Mais c'était une autre histoire, la traversée du parc.

"Bon, viens, on rentre", dit Justin.

Elle ne dormait pas, en pleine nuit, les yeux étaient fermés, l'esprit battait la chamade, et elle sentait le temps peser, et menacer, une sorte de battement dans sa tête.

Elle lisait tout ce qu'ils écrivaient sur les attaques.

Elle pensait à son père. Elle le voyait descendre un escalator, dans un aéroport peut-être.

Keith avait cessé de se raser pendant quelque temps, quelle qu'en fût la signification. Tout semblait avoir une signification. Leurs vies étaient en transition et elle cherchait des signes. Même quand elle enregistrait à peine un incident, il lui revenait ensuite à l'esprit, avec une signification en pièce jointe, lors d'épisodes d'insomnie qui duraient des minutes ou des heures, elle ne savait pas trop.

Ils vivaient au dernier étage d'un immeuble en brique rouge de quatre étages, et souvent désormais, ces derniers jours, elle descendait l'escalier et entendait un certain type de musique, comme une plainte, des luths et des tambourins et parfois des incantations, en provenance de l'appartement du deuxième étage, toujours le même CD, songeait-elle, en boucle, et l'exaspération commençait à l'envahir.

Elle lisait des récits dans les journaux jusqu'au moment où elle dut se contraindre à arrêter.

Mais les choses étaient ordinaires tout aussi bien. Les choses étaient aussi ordinaires qu'elles l'étaient toujours.

Une femme nommée Elena occupait cet appartement. Peut-être Elena était-elle grecque, songeait-elle. Mais la musique n'était pas grecque. Ce qu'elle entendait relevait d'un autre ensemble de traditions, des chants du Moyen-Orient, d'Afrique du Nord, des chants bédouins peut-être, ou alors des danses soufies, une musique ancrée dans la tradition musulmane, et elle était tentée de frapper à la porte pour dire quelque chose.

Elle disait aux gens qu'elle voulait quitter la ville. Ils savaient qu'elle ne parlait pas sérieusement et ils le lui disaient et elle les détestait un peu, de même que sa propre transparence, et que les petites paniques qui faisaient ressembler certains moments diurnes aux divagations affolées de ce moment précis de la nuit où l'esprit battait la campagne sans trêve.

Elle pensait à son père. Elle portait le nom de son père. Elle était Lianne Glenn. Son père avait été un catholique traditionnel non pratiquant, attaché à la messe en latin tant qu'il n'avait pas à la subir. Il ne faisait aucune distinction entre catholiques pratiquants et non pratiquants. La seule chose qui comptait, c'était la tradition, mais pas dans son travail, jamais. Il concevait des bâtiments et autres constructions, situés dans des paysages pour la plupart lointains.

Elle pensa qu'elle pourrait adopter la tactique d'une fausse courtoisie, en manière de réponse à une offense par une autre. C'est surtout dans l'escalier qu'ils l'entendaient, disait Keith, quand ils montaient et descendaient, et puis ce n'est jamais que de la musique, disait-il, alors pourquoi ne pas laisser tomber ?

Ils n'étaient pas propriétaires mais locataires, comme les gens du Moyen Age.

Elle avait envie de frapper à la porte et de dire quelque chose à Elena. De lui demander quel était le but du jeu. D'adopter une posture. Une mesure de représailles en soi. De lui demander pourquoi elle passait justement cette musique-là en cette période éminemment sensible. D'employer le langage de la camarade locataire pleine de sollicitude.

Elle lisait les portraits des morts dans le journal.

Enfant, elle voulait être sa mère, son père, certaines de ses camarades de classe, une ou deux, qui semblaient évoluer avec une aisance particulière, dire des choses qui n'importaient guère sauf par la manière dont elles étaient dites, sur un souffle d'air, tel un vol d'oiseau. Elle avait couché avec l'une de ces filles, elles s'étaient touchées un peu et embrassées, une fois, ce qu'elle avait vécu comme un rêve d'où elle s'éveillerait dans le corps et l'esprit de l'autre fille.

Frapper à la porte. Signaler le bruit. Ne pas dire musique, dire bruit.

Ces gens sont ceux qui pensent pareil, parlent pareil, mangent la même nourriture en même temps. Elle savait que ce n'était pas vrai. Disent les mêmes prières, mot pour mot, dans la même posture de prière, jour et nuit, en suivant l'arc du soleil et de la lune.

Elle avait besoin de dormir à présent. Elle avait besoin d'arrêter le bruit dans sa tête et de se tourner sur le côté droit, face à son mari, de respirer son souffle, de dormir de son sommeil.

Elena devait être chef de bureau ou gérante de restaurant, et divorcée, à vivre avec un gros chien, et qui sait quoi d'autre.

Elle aimait la pilosité sur son visage, les cheveux étaient bien, mais elle ne dit rien. Elle se contenta de dire une chose sans intérêt, et le regarda passer son pouce sur sa joue hirsute, pour bien se pénétrer de sa propre présence.

Ils disaient, Quitter la ville ? Pour quoi faire ? Pour aller où ? Tel était l'idiome cosmocentrique new-yorkais bien affûté, sonore et brutal, mais elle ne le ressentait pas moins qu'eux dans son cœur.

Oui, faire comme ça. Frapper à la porte. Adopter une posture. Mentionner le bruit comme bruit. Frapper à la porte, signaler le bruit, convoquer les apparences du calme et de la courtoisie, feindre la parodie de courtoisie entre camarades locataires que tout locataire voit comme telle, et signaler le bruit avec délicatesse. Mais ne signaler le bruit qu'en tant que bruit. Frapper à la porte, signaler le bruit, adopter une posture de sérénité suave, ouvertement factice, et ne faire aucune allusion au thème sous-jacent d'un certain type de musique en tant que forme de déclaration politique et religieuse, surtout en ce moment. Se glisser doucement dans le discours de la locataire chagrinée. Demander si elle est locataire ou propriétaire.

Elle se tourna vers la droite, face à son mari, et ouvrit les yeux.

Des pensées surgies de nulle part, d'ailleurs, les pensées de quelqu'un d'autre.

Elle ouvrait les yeux et s'étonnait, même maintenant, de le voir là dans le lit, à côté d'elle, une surprise totale toujours renouvelée, quinze jours après les avions. Ils avaient fait l'amour pendant la nuit, elle ne savait pas bien quand, deux ou trois heures auparavant. Ça se passait en amont quelque part, un étalage des corps mais aussi du temps, le seul intermède qu'elle eût connu durant ces jours et ces nuits qui n'eût pas été forcé ou déformé, pris dans le carcan des événements. C'était l'intimité la plus tendre qu'elle eût connue avec lui. Elle sentait un peu de salive aux commissures de ses lèvres, du côté qui était écrasé contre l'oreiller, et elle l'observait, se détachant bien de profil sur la lueur blafarde du réverbère, à plat sur le dos. Mon mari. Ce n'était pas un mari. Le mot d'époux avait paru comique, appliqué à lui, et mari n'allait pas non plus. Il était autre chose, quelque part. Mais elle emploie le terme à présent. Elle est convaincue qu'il prend le pli de l'homme matrimonial, même si elle sait qu'il s'agit d'une expression qui n'a rien à voir.

Ce qui est déjà dans l'air, dans les corps juvéniles, et ce qui va venir ensuite.

La musique comportait des moments qui avaient quelque chose d'une respiration. Elle l'entendit un jour dans l'escalier, un interlude pendant lequel plusieurs hommes respiraient sur un rythme obsédant, une liturgie en forme d'inspirez-expirez, et à d'autres moments d'autres voix, des voix en transe, des voix de récitants, des femmes en lamentation pieuse, des voix de village qui s'entremêlaient derrière des tambourins et des battements de mains.

Elle regardait son mari, son visage vide d'expression, neutre, pas très différent de son aspect éveillé.

D'accord la musique est magnifique mais pourquoi maintenant, dans quelle intention particulière, et comment s'appelle cet instrument qui ressemble à un luth caressé d'une plume d'aigle ?

Elle tendit la main vers la poitrine de Keith qui battait.

L'heure, à la fin, de s'endormir, en suivant l'arc du soleil et de la lune.

Elle rentrait de son jogging matinal et se tenait en sueur à la fenêtre de la cuisine, en buvant de l'eau au goulot d'une bouteille de un litre et en regardant Keith prendre son petit-déjeuner.

"Tu fais partie de ces cinglées qui courent dans les rues. Qui courent autour du réservoir.

— Tu nous trouves l'air plus ravagé qu'aux hommes.

— Seulement dans les rues.

— J'aime les rues. A cette heure du matin, la ville a quelque chose, le long du fleuve, les rues presque désertes, les voitures qui foncent à côté sur Riverside Drive.

— Respire à fond.

— J'aime courir le long des voitures sur Riverside.

— Inhale bien profondément, dit-il. Pour que les vapeurs d'essence s'engouffrent bien dans tes poumons.

— J'aime les vapeurs d'essence. J'aime le vent du fleuve.

— Tu pourrais courir à poil, dit-il.

— Commence d'abord, et je le ferai.

— Je le ferai si Justin le fait", dit-il.

L'enfant était dans sa chambre, un samedi, à mettre les dernières touches au portrait qu'il faisait de sa grand-mère, aux crayons de couleur. Ou bien à un dessin d'oiseau, pour l'école, ce qui lui remit quelque chose en mémoire.

"Il emporte les jumelles chez les Faux Jumeaux. Tu sais pourquoi, toi ?

— Ils scrutent le ciel.

— Pour chercher quoi ?

— Des avions. L'un des deux, la fille, je crois.

— Katie.

— Katie prétend qu'elle a vu l'avion qui a heurté la première tour. Elle dit qu'elle était rentrée de l'école, malade, et qu'elle était à la fenêtre quand l'avion est passé."

L'immeuble où habitaient les Faux Jumeaux était connu de certains sous le nom de Résidence Godzilla, ou de Godzilla tout court. Avec ses quarante étages plantés au milieu de maisons individuelles et d'autres édifices de hauteur modeste, il donnait naissance à son propre système climatique, notamment de forts courants d'air qui parfois cisaillaient la façade de l'immeuble et faisaient chuter sur le trottoir des personnes âgées.

"Malade à la maison. Est-ce que j'y crois ?

— Je crois qu'ils sont au vingt-septième étage, dit-il.

— Orientés à l'ouest au-dessus du parc. Ça, c'est vrai.

— Est-ce que l'avion a survolé le parc ?

— Peut-être le parc, peut-être le fleuve, dit-elle. Et peut-être qu'elle était malade à la maison, et peut-être qu'elle a tout inventé.

— Quoi qu'il en soit.

— Quoi qu'il en soit, tu veux dire, ils cherchent d'autres avions.

— Ils attendent que ça recommence.

— Ça me fait peur, dit-elle.

— Et cette fois avec une paire de jumelles pour les aider à bien voir.

— Ça m'épouvante. Mon Dieu, ça a quelque chose de tellement horrible. Ces fichus gosses avec leur fichue imagination tordue."

Elle s'approcha de la table et piqua une demi-fraise dans son bol de céréales. Puis elle s'assit en face de lui, l'air pensive, en mâchonnant.

Elle finit par dire : "La seule chose que j'ai pu tirer de Justin. Les tours ne se sont pas écroulées.

— Je lui ai dit que si.

— Moi aussi, dit-elle.

— Elles ont été heurtées, mais ne se sont pas écroulées. Voilà ce qu'il dit.

— Il ne l'a pas vu à la télé. Je n'ai pas voulu qu'il le voie. Mais je lui ai dit qu'elles étaient tombées. Et il a eu l'air de l'absorber. Mais ensuite je ne sais pas.

— Il sait qu'elles sont tombées, quoi qu'il en dise.

— Il doit forcément le savoir. Et il sait que tu y étais.

— Nous en avons parlé, dit Keith. Mais une seule fois.

— Qu'est-ce qu'il t'a dit ?

— Pas grand-chose. Et moi non plus.

— Ils scrutent le ciel.
— Précisément", dit-il.
Elle savait qu'il y avait une chose qu'elle voulait dire depuis le début, et cette chose finit par se couler dans une prise de conscience exprimable.
"Est-ce qu'il a parlé de ce type Bill Lawton ?
— Juste une fois. Il n'était censé en parler à personne.
— Leur mère a mentionné ce nom. J'oublie toujours de t'en parler. D'abord j'oublie le nom. J'oublie les noms faciles. Et puis, quand je m'en souviens, tu n'es jamais là.
— Le petit a gaffé. Il a laissé échapper le nom. Il m'a dit que les avions étaient un secret. Je ne suis censé dire à personne qu'ils sont tous les trois là-haut, au vingt-septième étage, à scruter le ciel. Mais surtout, m'a-t-il dit, je ne dois pas mentionner Bill Lawton. Puis il s'est rendu compte de ce qu'il avait fait. Il avait laissé échapper le nom. Du coup, il voulait que je lui fasse des doubles et des triples serments. Personne n'a le droit de savoir.
— Y compris sa mère qui lui a donné le jour pendant quatre heures et demie de sang et de souffrance. Et voilà pourquoi les femmes vont courir dans les rues.
— Amen. Mais ce qui s'est passé, dit-il, c'est que l'autre gosse, le petit frère.
— Robert.
— A l'origine du nom, c'est Robert. Ça, je le sais. Le reste, c'est surtout des suppositions. Robert a cru, à cause de la télévision, de l'école ou d'ailleurs, entendre un certain nom. Peut-être l'a-t-il entendu une fois, ou mal entendu, et a-t-il ensuite renforcé cette version lors d'occasions ultérieures. Autrement dit, il n'a jamais remis en

question sa première impression de ce qu'il entendait.

— Et qu'est-ce qu'il entendait ?

— Il entendait Bill Lawton. Et ils disaient ben Laden."

Lianne se mit à réfléchir. Il lui sembla tout d'abord qu'une signification importante pouvait se dissimuler sous la petite erreur de l'enfant. Elle regarda Keith, en quête de son assentiment, à la recherche de quelque chose de susceptible de donner un point d'attache à son effroi en roue libre. Il mangeait, et haussa les épaules.

"Et donc, ensemble, dit-il, ils ont élaboré le mythe de Bill Lawton.

— Katie doit connaître le vrai nom. Elle est bien trop fine. Elle entretient l'autre précisément parce que ce n'est pas le bon.

— Ça doit être ça. Ça, c'est le mythe.

— Bill Lawton.

— Scruter le ciel pour dénicher Bill Lawton. Il m'a dit plusieurs choses avant de se refermer comme une huître.

— Il y a une chose qui me plaît, c'est de connaître la solution de la devinette avant Isabel.

— Qui ça ?

— La mère des Faux Jumeaux.

— Et que fais-tu de son sang et de sa souffrance à elle ?"

Elle éclata de rire. Mais la pensée des enfants qui scrutaient le ciel par la fenêtre, derrière la porte fermée à clé, continuait à la troubler.

"Bill Lawton a une longue barbe. Il porte une longue robe, dit-il. Il se déplace en jet et parle treize langues mais pas l'anglais, sauf à ses femmes. Quoi d'autre ? Il a le pouvoir d'empoisonner ce que nous mangeons mais seulement certains aliments. Ils sont en train d'établir la liste.

— Voilà ce que nous récoltons, pour avoir mis une distance protectrice entre les enfants et les événements dans les médias.

— Sauf que nous n'avons pas mis de distance, pas vraiment, dit-il.

— Entre les enfants et les assassins de masse.

— L'autre chose qu'il fait, Bill Lawton, c'est qu'il va partout pieds nus.

— Ils ont tué ton meilleur ami. Ce sont des salauds d'assassins. Deux amis, deux amis.

— J'ai parlé avec Demetrius il n'y a pas longtemps. Je ne crois pas que tu l'aies rencontré. Il travaillait dans l'autre tour. On l'a expédié dans un centre pour les grands brûlés à Baltimore. Il a de la famille là-bas."

Elle le regardait.

"Pourquoi es-tu encore ici ?"

Elle avait dit ces mots sur un ton d'affectueuse curiosité.

"Est-ce que tu comptes rester ? Parce que je pense que c'est une chose dont nous devons parler, dit-elle. J'ai oublié comment parler avec toi. C'est la plus longue conversation que nous ayons eue.

— Tu le faisais mieux que personne. Me parler. C'était peut-être le problème.

— J'ai désappris, je crois. Parce que je suis assise là à penser que nous avons beaucoup à nous dire.

— Nous n'avons pas tant à dire. Avant nous disions tout, tout le temps. Nous examinions tout, toutes les questions, tous les problèmes.

— C'est vrai.

— Ça nous a pratiquement tués.

— C'est vrai. Mais est-ce que c'est possible ? Voici ma question, dit-elle. Est-il possible que toi et moi en ayons fini avec les conflits ? Tu sais ce que je veux dire. Les frictions quotidiennes. Le programme chaque-mot chaque-instant que nous appliquions avant de nous séparer. Est-il possible que ce soit terminé ? Nous n'en avons plus besoin. Nous pouvons vivre sans. Je me trompe ?

— Nous sommes prêts à sombrer dans nos petites vies", dit-il.

MARIENSTRASSE

Ils se tenaient sous le porche et regardaient tomber la pluie, un homme jeune et un autre plus âgé, après la prière du soir. Le vent chassait des ordures sur le trottoir et Hammad souffla dans ses mains jointes, six ou sept fois, avec lenteur et détermination ; il sentit sur ses paumes le murmure d'un souffle tiède. Une femme passa à vélo, pédalant de toutes ses forces. Il croisait maintenant les bras sur son torse, les mains enfouies sous ses aisselles, et il écoutait le récit de son compagnon plus âgé.

Il avait été fusilier dans le Chatt al-Arab, quinze ans plus tôt, et il les avait regardés traverser les bancs de boue, des milliers de garçons hurlants. Certains portaient des fusils, mais la plupart n'en avaient pas, et les armes écrasaient les plus petits, des kalachnikovs, trop lourdes pour être portées bien loin. Il était soldat dans l'armée de Saddam et ils étaient les martyrs de l'Ayatollah, venus ici pour tomber et mourir. Ils semblaient surgir de la terre détrempée, une vague après l'autre, et il visait et tirait et les regardait tomber. Il était couvert par des positions de mitrailleuses et le tir devenait si intense qu'il commençait à avoir l'impression de respirer de l'acier chauffé à blanc.

Hammad connaissait à peine cet homme, un boulanger installé ici à Hambourg depuis peut-être dix ans. Ils priaient à la même mosquée, voilà ce qu'il savait, au premier étage de cet immeuble décrépit aux murs maculés de graffiti, devant lequel déambulaient une bande de putes du cru. Voilà qu'il découvrait également cela, le visage du combat sur le temps long de la guerre.

Les garçons continuaient à surgir et les mitrailleuses à les cueillir. Au bout d'un moment, l'homme comprit qu'il n'y avait plus de raisons de tirer, plus pour lui. Même s'ils étaient l'ennemi, des Iraniens, des chiites, des hérétiques, ce n'était pas pour lui, de les regarder enjamber les corps fumants de leurs frères, portant leur âme entre leurs mains. L'autre chose qu'il comprenait, c'est qu'il s'agissait là d'une tactique militaire, cette représentation par dix mille garçons de la gloire du sacrifice ultime afin de détourner les soldats et le matériel irakiens de la véritable armée qui se massait derrière les lignes de front.

La plupart des pays sont gouvernés par des fous, disait l'homme.

Puis il dit qu'il avait été affligé doublement, d'abord de voir les garçons mourir, envoyés pour faire sauter les mines et s'élancer sous les tanks et contre les murailles de balles, et ensuite de penser que c'étaient eux les vainqueurs, ces enfants, qu'ils consacraient notre défaite par leur façon de mourir.

Hammad écoutait sans mot dire mais avec reconnaissance. C'était le genre d'homme qui n'est pas encore vieux au sens strict mais qui porte quelque chose de plus lourd que le poids des ans.

Mais ces cris des gosses, leurs hurlements stridents. L'homme disait que c'était ce qu'il entendait par-dessus le bruit de la bataille. Les gosses poussaient le cri de l'histoire, l'histoire de l'antique défaite chiite et de l'allégeance des vivants à ceux qui étaient morts et vaincus. Ce cri m'est encore proche, dit-il. Pas comme une chose qui est arrivée hier, mais comme une chose qui ne cesse d'arriver, qui se produit depuis mille ans, qui est dans l'air, toujours.

Hammad opinait. Il sentait le froid dans ses os, l'infortune des vents chargés de pluie et des nuits du Nord. Ils restèrent un moment silencieux, à attendre que la pluie cesse, et il se répétait qu'il passerait une autre femme à vélo, quelqu'un à regarder, les cheveux mouillés et les jambes en mouvement sur le pédalier.

Ils se laissaient tous pousser la barbe. L'un d'eux avait même dit à son père de se la laisser pousser. Des hommes venaient à l'appartement de Marienstrasse, certains en visite, d'autres pour y vivre, un va-et-vient constant d'hommes qui se laissaient pousser la barbe.

Assis sur ses talons, Hammad écoutait et mangeait. La conversation était enflammée, l'émotion contagieuse. Ils étaient dans ce pays pour poursuivre des études techniques, mais dans ces pièces ils parlaient de la lutte. Tout ici était tortueux, hypocrite, l'Occident corrompu de corps et d'esprit, déterminé à réduire l'Islam en miettes de pain pour les oiseaux.

Ils étudiaient l'architecture et l'ingénierie. Ils étudiaient l'urbanisme et l'un d'eux reprochait aux juifs des défaillances de construction. Les juifs édifiaient des murs trop minces, des couloirs trop étroits. Les juifs avaient installé les toilettes de cet appartement trop près du sol, et le jet liquide que lâche un homme devait voyager si loin en quittant son corps qu'il faisait du bruit d'éclaboussures, que les gens pouvaient entendre de la pièce voisine. Grâce aux cloisons juives trop minces.

Hammad ne savait pas trop s'il s'agissait d'une plaisanterie, d'une réalité ou d'une idiotie. Il écoutait tout ce qu'ils disaient, intensément. C'était un homme massif, maladroit, et depuis toujours convaincu qu'une sorte d'énergie non révélée était scellée dans son corps, trop étroitement pour être libérée.

Il ne savait pas lequel d'entre eux avait dit à son père de se laisser pousser la barbe. Dire à son père de se laisser pousser la barbe. Ce n'est pas recommandé, d'habitude.

L'homme qui dirigeait les discussions, Amir, était un petit homme nerveux, qui s'adressait à Hammad en le regardant bien en face. Il était "très génie", selon les autres, et il leur disait qu'un homme peut rester pour toujours dans une chambre, à faire des projets, à manger et dormir, même à prier, même à conspirer, mais qu'à un certain point il faut qu'il en sorte. Même si la pièce est un lieu de prière, il ne peut pas y rester toute sa vie. L'islam est le monde qui se trouve au dehors de la salle de prière aussi bien que dans les sourates du Coran. L'islam est la lutte contre l'ennemi, l'ennemi proche et lointain, les juifs d'abord, pour toutes les choses injustes et haineuses, les Américains ensuite.

Ils avaient besoin d'un endroit à eux, à la mosquée, dans la salle de prière à mi-temps de l'université, ici dans l'appartement de Marienstrasse.

Il y avait sept paires de chaussures alignées devant la porte de l'appartement. Hammad entra et ils parlaient et argumentaient. L'un des hommes avait combattu en Bosnie, un autre évitait tout contact avec les chiens et les femmes.

Ils regardaient des vidéos de djihad dans d'autres pays et Hammad leur parlait des enfants soldats qui couraient dans la boue, les sauteurs de mines, les clés du paradis en sautoir autour du cou. C'était il y a longtemps et ce n'étaient que des gosses, dirent-ils, qui ne méritaient pas le temps qu'on aurait perdu à pleurer un seul d'entre eux.

Une nuit très tard, il lui fallut enjamber la silhouette prosternée d'un frère en prière en allant aux toilettes pour se branler.

Le monde change d'abord dans l'esprit de l'homme qui veut le changer. L'heure approche, notre vérité, notre honte, et chaque homme devient l'autre, et l'autre un autre encore, et ensuite il n'y a plus de séparation.

Amir lui parlait droit en face. Son nom complet était Mohamed Mohamed el-Amir el-Sayed Atta.

Il flottait un sentiment d'histoire perdue. Ils étaient isolés depuis trop longtemps. Voilà de quoi ils parlaient, de leur étouffement par d'autres cultures, d'autres avenirs, de cette volonté dominante des marchés financiers et des politiques étrangères qui tenait tout dans son étreinte.

C'était Amir, la tête dans les étoiles, qui donnait un sens aux choses, qui resserrait les choses.

Hammad connaissait une femme, une Allemande, une Syrienne, ou quoi encore, un peu turque. Elle avait les yeux noirs et un corps avachi qui appréciait le contact. Ils traversaient la chambre jusqu'au lit de camp, étroitement enlacés, avec la voisine de chambre de l'autre côté de la porte qui étudiait l'anglais. Tout se passait dans des segments bondés de l'espace et du temps. Il avait des rêves qu'on eût dits comprimés, de petites chambres presque nues, vite rêvées. Parfois, lui et les deux femmes jouaient à des jeux de mots rudimentaires, inventant des rimes sans queue ni tête dans un charabia quadrilingue.

Il ne savait le nom de l'agence de sécurité allemande dans aucune langue. Certains des hommes qui passaient par l'appartement étaient dangereux pour l'Etat. Lecture de textes, tir au fusil. Sans doute étaient-ils surveillés, leurs téléphones sur écoute, leurs signaux interceptés. De toute façon ils préféraient se parler de personne à personne. Ils savaient que tout signal transmis par la voie des airs était vulnérable à l'interception. L'Etat a des sites à micro-ondes. L'Etat a des stations au sol et des satellites mobiles, des points de contrôle Internet. Il existe un système de reconnaissance capable de photographier une crotte de coléoptère depuis une altitude de cent kilomètres.

Mais nous nous rencontrons face à face. Un homme arrive de Kandahar, un autre de Riyad. Nous nous rencontrons directement, dans l'appartement ou à la mosquée. L'Etat dispose de la fibre optique mais le pouvoir ne peut rien contre nous. Plus il y a de pouvoir, plus il y a d'impuissance. Nous nous rencontrons par les yeux, par la parole et par le regard.

Hammad et deux autres allèrent chercher un homme sur le Reeperbahn. Il était tard et il faisait un froid glacial et ils le virent enfin sortir d'une maison à cinquante mètres d'eux. L'un des hommes appela son nom, puis l'autre. Il les regarda et attendit, alors Hammad s'avança et le frappa trois ou quatre fois et il s'écroula par terre. Les autres hommes s'avancèrent et lui donnèrent des coups de pied. Hammad avait ignoré son nom jusqu'à ce qu'ils le crient et il ne comprenait pas bien de quoi il s'agissait, si le type se payait une pute albanaise ou s'il ne se laissait pas pousser la barbe. Il n'avait pas de barbe, avait observé Hammad, juste avant de le frapper.

Ils mangèrent des brochettes de viande dans un restaurant turc. Il lui montra les spécifications dimensionnelles qu'il effectuait en cours, où il étudiait sans passion le dessin industriel. Il se sentait plus intelligent quand il était avec elle parce qu'elle l'y encourageait, en posant des questions ou en étant simplement elle-même, curieuse de tout y compris de ses amis à la mosquée. Ses amis lui conféraient une raison d'être mystérieux, ce qu'elle trouvait intéressant. Sa voisine de chambre écoutait des voix neutres qui parlaient anglais dans ses oreillettes. Hammad la dérangeait pour des leçons, des mots et des expressions, laisse tomber la grammaire. Il y avait une hâte, une précipitation qui rendait difficile de voir plus loin que la minute suivante. Il traversait les minutes à toute allure et éprouvait l'attraction d'un immense paysage à venir qui s'ouvrait, tout de ciel et de montagnes.

Il passait du temps devant le miroir à regarder sa barbe, sachant qu'il n'était pas censé la tailler.

Il avait de petites poussées de concupiscence pour la voisine de chambre quand il la voyait passer sur son vélo, mais il essayait de ne pas introduire ce désir dans la maison. Sa petite amie s'accrochait à lui et ils esquintaient le lit de camp. Elle voulait qu'il connaisse sa présence dans son intégralité, dedans et dehors. Ils mangeaient des falafels enveloppés dans des pitas et il lui arrivait d'avoir envie de l'épouser et de faire des bébés mais c'était seulement quand il sortait de chez elle, tel un footballeur qui traverse tout le terrain en courant, bras déployés, après avoir marqué un but.

L'heure approche.

Les hommes allaient dans les cafés Internet et s'informaient sur les écoles de pilotage aux Etats-Unis. Personne ne venait fracasser leur porte au milieu de la nuit et personne ne les arrêtait dans la rue pour leur retourner les poches et leur palper le corps à la recherche d'armes. Mais ils savaient que l'islam était attaqué.

Amir le regardait, transperçant l'humble indignité de son être jusqu'au tréfonds. Hammad savait ce qu'il allait dire. Toujours à manger, à t'empiffrer, en retard à la prière. Il y avait autre chose encore. Traîner avec une femme éhontée, hisser ton corps sur le sien. Quelle différence y a-t-il entre toi et tous ceux qui n'appartiennent pas à notre sphère ?

Quand il lui eut jeté ces paroles au visage, Amir ajouta des sarcasmes.

Je te parle chinois ? Je bégaie ? Mes lèvres remuent mais les mots ne sortent pas ?

Hammad en un sens trouvait cette attitude injuste. Mais plus il s'examinait lui-même, et plus les mots étaient vrais. Il devait lutter contre le besoin d'être normal. Il devait se combattre lui-même, d'abord, et combattre ensuite les injustices qui hantaient leur vie.

Ils lisaient les versets du Coran sur l'épée. Ils étaient implacables, déterminés à devenir un seul et unique esprit. Tout quitter sauf les hommes avec qui tu es. Devenir chacun le sang vif de l'autre.

Il y avait quelquefois dix paires de chaussures devant la porte de l'appartement, onze paires. C'était la maison des disciples, c'est ainsi qu'ils l'appelaient, *dar-al-ansar*, et c'est bien ce qu'ils étaient, les disciples du Prophète.

La barbe aurait meilleure allure s'il la taillait. Mais il y avait des règles à présent et il était décidé à les suivre. Sa vie s'était structurée. Les choses étaient clairement définies. Il était en train de devenir l'un d'eux, il apprenait à être comme eux et à penser comme eux. Le djihad l'exigeait. Il priait avec eux pour être avec eux. Ils devenaient frères absolus.

La femme s'appelait Leyla. De jolis yeux, et un air d'en savoir long. Il lui dit qu'il partait quelque temps, pour revenir à coup sûr. Bientôt elle se mettrait à exister sous forme de souvenir flou, et puis elle finirait par ne plus exister du tout.

Deuxième partie

ERNST HECHINGER

VI

Lorsqu'il apparut sur le seuil ce n'était pas possible, un homme surgi d'une tempête de cendres, couvert de sang et de scories, empestant le brûlé, avec de minuscules éclats de verre incrustés dans le visage, qui scintillaient. Il paraissait immense, dans l'encadrement de la porte, avec un regard qui ne regardait pas. Il portait une mallette et hochait la tête, planté là. Elle pensa qu'il devait être en état de choc, sans savoir ce que cela signifiait en termes précis, médicaux. Il passa devant elle pour aller à la cuisine et elle essaya d'appeler son médecin, puis les urgences, puis l'hôpital le plus proche, mais elle n'entendait que le bourdonnement des lignes surchargées. Elle éteignit la télévision, sans bien savoir pourquoi, pour le protéger des informations d'où il venait d'émerger, voilà pourquoi, puis elle alla à la cuisine. Il était assis devant la table et elle lui versa un verre d'eau et lui dit que Justin était chez sa grand-mère, libéré de l'école de bonne heure et lui aussi protégé des informations, du moins pour ce qui concernait son père.

Il dit : "Tout le monde me donne de l'eau."

Elle songea qu'il n'aurait pas pu parcourir toute cette distance ou même gravir l'escalier s'il avait souffert de blessures graves, perdu beaucoup de sang.

Puis il dit autre chose. La mallette était posée à côté de la table tel un déchet extirpé d'une décharge publique. Il dit qu'il y avait une chemise qui descendait du ciel.

Elle versa de l'eau sur un torchon et essuya la poussière et la cendre sur les mains, sur le visage et sur la tête, en prenant soin de ne pas déplacer les fragments de verre. Il y avait plus de sang qu'elle ne l'avait d'abord pensé et c'est alors qu'elle commença à prendre conscience de quelque chose d'autre, que ses écorchures et ses éraflures n'étaient pas assez profondes ni assez nombreuses pour expliquer tout ce sang. Ce n'était pas son sang. Pour l'essentiel c'était le sang de quelqu'un d'autre.

Les fenêtres étaient ouvertes pour que Florence pût fumer. Ils étaient assis là où ils s'étaient assis la dernière fois, de part et d'autre de la table basse, en diagonale.

"Je me donnais un an, dit-il.

— Acteur. Je vous vois bien en acteur.

— J'étais élève acteur. Je n'ai jamais dépassé le stade de l'élève.

— Parce qu'il y a quelque chose chez vous, dans votre façon d'occuper l'espace. Je ne suis pas sûre de ce que cela veut dire.

— L'expression sonne bien.

— Je crois que je l'ai entendue quelque part. Qu'est-ce que cela veut dire ? dit-elle.

— Je me donnais un an. Je pensais que ce serait intéressant. J'ai réduit à six mois. Je me disais, Qu'est-ce que je peux faire d'autre ? Je pratiquais deux sports, quand j'étais étudiant. C'était fini. Six mois, bah, pourquoi pas ? Et puis quatre, deux et j'étais parti."

Elle l'examinait, assise là à le dévisager, et il y avait dans cette attitude quelque chose de si franc, de si ouvert et innocent qu'au bout d'un moment il cessa de s'en agacer. Elle regardait, ils parlaient, ici dans cette pièce qu'il aurait été incapable de décrire une minute après l'avoir quittée.

"Ça n'a pas marché. Les choses ne marchent pas toujours, dit-elle. Alors qu'avez-vous fait ?

— Fac de droit."

Elle murmura, "Pourquoi ?

— Quoi d'autre ? Où d'autre ?"

Elle se redressa sur son siège et glissa la cigarette entre ses lèvres, pensive. Elle avait sur le visage de petites taches brunes éparpillées du bas du front à l'arête du nez.

"Vous êtes marié, je suppose. Simple question.

— Oui, je suis marié.

— Peu m'importe", dit-elle, et c'était la première fois qu'il entendait de la contrariété dans sa voix.

"Nous étions séparés, maintenant nous sommes revenus ensemble, ou nous sommes en train.

— Bien sûr", dit-elle.

C'était la deuxième fois qu'il avait traversé le parc. Il savait pourquoi il était là mais il n'aurait pu l'expliquer à personne, et à elle il n'avait pas à l'expliquer. Peu importait qu'ils parlent ou non. Ce serait parfait de ne pas parler, de respirer le même air, ou bien qu'elle parle, qu'il écoute, ou que le jour soit la nuit.

Elle dit : "Je suis allée à St Paul hier. Je voulais être avec les gens, là-bas en particulier. Je savais qu'il y aurait des gens là-bas. J'ai regardé les fleurs et les choses personnelles que les gens avaient laissées, les souvenirs qu'ils avaient falsifiés eux-mêmes. Je n'ai pas regardé les photos des disparus. Je n'ai pas pu. Je suis restée une heure assise dans la chapelle et les gens entraient pour prier ou faire un petit tour, juste pour regarder, lire les plaques de marbre. A la mémoire de, à la mémoire de. Des sauveteurs sont entrés, trois, et j'ai essayé de ne pas les dévisager, puis il en est venu deux autres."

Elle avait été mariée peu de temps, dix ans plus tôt, une erreur si passagère qu'elle n'avait guère laissé de traces. Disait-elle. L'homme était mort quelques mois après la fin de leur union, dans un accident de voiture, et sa mère le reprochait à Florence. La trace, c'était ça.

"Je me dis qu'il est banal de mourir.

— Pas quand c'est vous. Pas quand c'est quelqu'un que vous connaissez.

— Je ne dis pas qu'on ne devrait pas avoir de la peine. Simplement, pourquoi ne pas se remettre entre les mains de Dieu ? dit-elle. Pourquoi n'avons-nous pas appris à le faire, après les innombrables preuves que les morts représentent ? Nous sommes censés croire en Dieu mais alors pourquoi n'obéissons-nous pas aux lois de l'univers de Dieu, qui nous enseigne à quel point nous sommes petits et nous dit comment nous allons tous finir ?

— Cela ne peut pas être aussi simple.

— Ces hommes qui ont fait ça. Ils sont contre tout ce que nous représentons. Mais ils croient en Dieu, dit-elle.

— Le Dieu de qui ? Quel Dieu ? Je ne sais même pas ce que cela veut dire, croire en Dieu. Jamais je n'y pense.

— Vous n'y pensez jamais.

— Cela vous trouble ?

— Cela m'effraie, dit-elle. J'ai toujours senti la présence de Dieu. Je lui parle quelquefois. Je n'ai pas besoin d'être à l'église pour parler à Dieu. Je vais à l'église mais pas, vous savez, chaque semaine – quelle est cette expression que je cherche ?

— Pas dans un esprit de religion", dit-il.

Il pouvait la faire rire. Quand elle riait, elle semblait regarder en lui, les yeux vifs, discernant quelque chose qu'il ne pouvait pas deviner. Il y avait chez Florence une composante qui confinait toujours à la détresse émotionnelle, le souvenir de quelque blessure ou quelque perte subie, et le rire constituait une manière physique de se défaire, de se délivrer d'une affliction ancienne, d'une peau morte, ne fût-ce qu'un instant.

De la musique provenait d'une pièce du fond, un morceau classique et familier mais dont il ne connaissait ni le titre ni le nom du compositeur. Il ne savait jamais ces choses-là. Ils buvaient du thé et ils parlaient. Elle parlait de la tour, reprenant toute l'histoire depuis le début, sur un mode claustrophobe, la fumée, le fléchissement des corps, et il comprit qu'ils ne pouvaient parler de ces choses que l'un avec l'autre, dans les détails les plus minutieux et les plus ennuyeux, mais que ce ne serait jamais ennuyeux ni trop détaillé parce que la chose était en eux désormais et parce qu'il avait besoin d'entendre ce qu'il avait perdu dans les cheminements de la mémoire. C'était leur moment de délire, la réalité hébétée qu'ils avaient partagée dans l'escalier, dans la profondeur des cages où des hommes et des femmes descendaient en spirale.

La conversation se poursuivit, touchant au mariage, à l'amitié, à l'avenir. Quoique novice, il parlait d'assez bon cœur. Surtout il écoutait.

"Ce que nous portons. C'est ça l'histoire à la fin", dit-elle, de très loin.

La voiture avait heurté un mur. Sa mère reprochait l'accident à Florence parce que s'ils avaient été encore mariés il ne se serait pas trouvé dans cette voiture, sur cette route, et puisque c'était elle qui avait mis un terme à leur mariage la faute lui incombait, c'était elle que marquait la tache.

"Il avait dix-sept ans de plus que moi. Cela paraît terrible. Un homme plus âgé. Il avait un diplôme d'ingénieur mais il travaillait à la poste.

— Il buvait.

— Oui.

— Il avait bu le soir de l'accident.

— Oui. C'était l'après-midi. En plein jour. Pas d'autre voiture impliquée."

Il lui dit qu'il était temps pour lui de partir.

"Bien sûr. Il le faut. C'est ainsi que se passent ces choses-là. Tout le monde le sait."

Elle semblait lui en faire reproche, de partir, d'être marié, le geste irréfléchi de revenir ensemble, et en même temps elle semblait ne pas lui parler du tout. Elle parlait à la pièce, elle se parlait à elle-même, songea-t-il, elle parlait à une version antérieure d'elle-même, à une personne capable d'entériner la sinistre familiarité du moment. Elle voulait que ses sentiments soient enregistrés, officiellement, et elle avait besoin de dire les mots justes, et pas nécessairement à lui.

Mais il restait sur son siège.

Il dit, "Qu'est-ce que c'est que cette musique ?

— Je crois que j'ai besoin de la faire taire. Ça ressemble à cette musique dans les vieux films où l'homme et la femme courent dans les bruyères.

— Dites la vérité. Vous aimez ces films.

— Et la musique aussi. Mais seulement quand elle est dans le film."

Elle le regarda et se leva. Elle passa devant la porte d'entrée et s'engagea dans le couloir. Elle était quelconque sauf quand elle riait. Elle était quelqu'un dans le métro. Elle portait des jupes amples et des chaussures plates et elle était assez forte et peut-être aussi un peu gauche mais quand elle riait il se produisait un flamboiement de sa nature, quelque chose d'à moitié caché et d'éblouissant se déployait.

Femme noire à la peau claire. L'une de ces curieuses incarnations de l'ambiguïté du langage et de l'immuabilité de la race, mais les seuls mots capables de revêtir le moindre sens pour lui étaient ceux qu'elle avait prononcés et qu'elle prononcerait.

Elle parlait à Dieu. Peut-être que Lianne avait aussi de ces conversations. Il n'en aurait pas juré, ou alors de longs monologues anxieux. Ou de timides pensées. Quand elle abordait le sujet ou proférait le nom, il se figeait. La question était trop abstraite. Ici, avec une femme qu'il connaissait à peine, la question semblait inévitable, et d'autres questions, d'autres sujets.

Il entendit la musique changer pour quelque chose qui avait du rythme et du souffle, des voix qui rappaient en portugais, qui chantaient, qui sifflaient, avec des guitares et de la batterie derrière elles, des saxophones en folie.

D'abord elle l'avait observé et puis il l'avait regardée marcher jusqu'à la porte et dans le couloir et maintenant il savait qu'il était censé suivre.

Elle se tenait à la fenêtre, battant des mains au rythme de la musique. C'était une petite chambre, il n'y avait pas de chaise, et il s'assit par terre et la regarda.

"Je ne suis jamais allée au Brésil, dit-elle. C'est un endroit auquel je pense parfois.

— Je suis en contact avec quelqu'un. On est très peu avancés dans les entretiens. Pour un boulot impliquant des investisseurs brésiliens. Il se pourrait que j'aie besoin d'un peu de portugais.

— Nous avons tous besoin d'un peu de portugais. Nous avons tous besoin d'aller au Brésil. C'est le CD qui était dans le lecteur que vous avez rapporté de là-bas.

— Allez-y, dit-il.

— Quoi ?

— Dansez.

— Quoi ?

— Dansez, dit-il. Vous voulez danser. Et moi je veux regarder."

Elle ôta ses chaussures et se mit à danser, en battant doucement des mains en rythme et en commençant à se rapprocher de lui. Elle lui tendit la main et il secoua la tête, avec un sourire, et se recula contre le mur. Elle n'était pas rompue à l'exercice. Ce n'était pas une chose qu'elle s'était permis de faire seule, songea-t-il, ni avec quelqu'un d'autre, ou pour quelqu'un d'autre, pas jusqu'à aujourd'hui. Elle retraversa la chambre, les yeux fermés, semblant se perdre dans la musique. Elle dansa un moment au ralenti, sans plus battre des mains, les bras levés et écartés du corps, presque en transe, et se mit à tournoyer sur place, toujours plus lentement, lui faisant face à présent, la bouche ouverte, et les yeux qui s'ouvraient.

Toujours assis là, les yeux fixés sur elle, il commença à s'extirper de ses vêtements.

C'est à Rosellen S. que cela arriva, une peur primitive surgie des profondeurs de l'enfance. Elle ne se rappelait plus où elle habitait. Elle était toute seule dans un coin près du métro aérien, et elle sombrait dans la désolation, séparée de tout. Elle chercha une vitrine de magasin, un panneau dans la rue susceptible de lui donner un indice. Le monde s'éloignait, se retirait, les plus simples reconnaissances. Elle commença à perdre sa lucidité, sa clarté d'esprit. Elle n'était pas tant perdue qu'en train de tomber, de faiblir. Il n'y avait rien autour d'elle que silence et distance. Elle repartit par où elle était venue, ou pensait être venue, entra dans un immeuble et s'arrêta dans le hall, l'oreille aux aguets. Elle suivit le bruit des voix et pénétra dans une pièce où une douzaine de personnes étaient assises et lisaient des livres, ou un livre, la Bible. En la voyant, les gens interrompirent leur lecture et attendirent. Elle tenta de leur dire ce qui n'allait pas et l'un d'eux regarda dans son sac et trouva des numéros à appeler, et finit par joindre quelqu'un, une sœur à Brooklyn, apparemment, répondant au nom de Billie, qui viendrait à East Harlem chercher Rosellen et la ramener chez elle.

Lianne fut mise au courant par le Dr Apter. Elle avait vu le lent déclin, au fil des mois. Rosellen riait encore parfois, ironie intacte, petit bout de femme aux traits délicats et à la peau d'un brun châtain. Ils approchaient de ce qui les attendait, tous tant qu'ils étaient, encore pourvus, à ce stade, d'un reste d'espace d'où voir la chose se produire.

Benny T. dit qu'il avait du mal, certains matins, à enfiler son pantalon. Carmen dit "Ça vaut mieux que d'en avoir en le retirant." Elle dit, "Tant que tu peux le retirer, mon joli, tu es le vrai Benny sexy de toujours." Il rit et se dandina un peu, en se donnant des coups sur la tête pour amuser la galerie, et dit que ce n'était pas vraiment ce genre de problème ; il n'arrivait pas à se convaincre que le pantalon était bien mis. Il l'enfilait, le retirait. Il s'assurait que la fermeture à glissière était devant. Il vérifiait la longueur devant la glace, les revers qui recouvraient plus ou moins la chaussure, sauf qu'il n'y avait pas de revers. Il se rappelait les revers. Ce pantalon avait des revers hier alors pourquoi pas aujourd'hui ?

Il disait qu'il savait quel effet faisaient ses paroles. Elles lui faisaient un effet particulier à lui aussi. Il utilisa ce mot, *particulier*, évitant des termes plus expressifs. Mais quand cela se produisait, disait-il, il ne pouvait pas en sortir. Il était dans un esprit et un corps qui n'étaient pas les siens, les yeux fixés sur le tombé du pantalon. Et on aurait dit que le pantalon ne tombait pas bien. Il le retirait et le remettait. Le secouait. Regardait à l'intérieur. Commençait à penser que c'était le pantalon de quelqu'un d'autre, chez lui, plié sur sa chaise à lui.

Ils attendaient que Carmen dise quelque chose. Lianne attendait qu'elle mentionnât le fait que Benny n'était pas marié. Heureusement que tu n'es pas marié, Benny, avec le pantalon d'un autre mec sur ta chaise. Ta femme aurait intérêt à s'expliquer.

Mais cette fois Carmen ne dit rien.

Omar H. parla de son parcours à travers la ville. Il était le seul membre du groupe à vivre en dehors du quartier, dans le Lower East Side, et il y avait le métro, et la carte en plastique qu'il devait valider dans la fente, valider six fois, changer de tourniquet, VEUILLEZ RECOMMENCER, et le long trajet, et la fois où il avait atterri quelque part dans un coin sordide du Bronx, sans savoir ce qui était arrivé aux stations manquantes.

Curtis B. ne retrouvait pas sa montre. Quand il la retrouvait, enfin, dans l'armoire à pharmacie, il n'arrivait apparemment pas à la fixer à son poignet. Elle était là, la montre. Il prononçait ces mots avec gravité. Elle était là, ma main droite. Mais la main droite n'arrivait apparemment pas à trouver son chemin jusqu'au poignet gauche. Il y avait un trou dans l'espace, ou un décalage visuel, une faille dans son champ de vision, et il lui fallait un certain temps pour faire le lien de la main au poignet, l'extrémité de la patte dans la boucle. Pour Curtis il s'agissait là d'une souillure morale, d'un péché d'autotrahison. Un jour, lors d'une séance antérieure, il avait lu un texte qu'il avait écrit sur un événement vieux de cinquante ans, quand il avait tué un homme avec une bouteille cassée lors d'une bagarre dans un bar, lui arrachant le visage et les yeux avant de lui trancher la jugulaire. Il avait relevé les yeux de la page en prononçant ces mots : *trancher la jugulaire.*

Il employait la même intonation, sombre et fatidique, pour raconter la montre perdue.

En descendant l'escalier elle dit quelque chose et il lui fallut plusieurs secondes après que Keith eut accompli le geste pour faire le lien. Il avait donné un coup de pied dans la porte devant laquelle ils passaient. Il avait interrompu sa marche, pris du recul et lancé un grand coup de pied, frappant la porte de sa semelle.

Une fois le lien établi entre ce qu'elle avait dit et ce qu'il avait fait, la première chose qu'elle comprit fut que sa colère n'était pas dirigée contre la musique ou contre la femme qui l'écoutait. Elle était dirigée contre elle, contre la protestation qu'elle avait proférée, sa persistance, son exaspérante répétition.

La deuxième chose qu'elle comprit fut qu'il n'y avait pas de colère. Il était d'un calme absolu. Il exprimait son émotion à elle, à sa place et à son discrédit. C'était presque, songea-t-elle, un geste un peu zen, un geste fait pour choquer et stimuler la méditation ou en inverser l'orientation.

Personne n'apparut à la porte. La musique ne cessa pas, lente et tourbillonnante configuration de flûtes et de tambourins. Ils se regardèrent et se mirent à rire, d'un rire sonore et dur, les deux époux, en descendant l'escalier et en franchissant la porte d'entrée.

Les parties de poker se déroulaient chez Keith, où se trouvait la table de jeu. Ils se retrouvaient à six joueurs, six habitués, le mercredi soir, le rédacteur commercial, le publicitaire, le courtier en prêts hypothécaires, et ainsi de suite, des hommes qui roulaient des mécaniques et portaient haut leurs couilles, prêts à s'asseoir pour jouer, le visage fermé, défiant les forces qui gouvernent les événements.

Au début, ils jouaient au poker sous diverses formes et variantes mais, avec le temps, ils commencèrent à réduire les options du donneur. L'interdiction de certaines combinaisons débuta comme une blague au nom de la tradition et de l'autodiscipline mais s'imposa peu à peu, avec des arguments élaborés pour faire pièce aux aberrations les plus minables. Finalement, le doyen des joueurs, Dockery, qui frisait la cinquantaine, plaida en faveur d'un poker strictement réglementaire, au rétro-format classique de cinq cartes, ou stud poker à cinq ou sept cartes ; la limitation du choix s'accompagna d'une hausse des enjeux, ce qui dramatisa la cérémonie du chèque pour les perdants de la longue soirée.

Ils jouaient chaque main dans un état d'excitation glacée. Toute l'action se déroulait quelque part derrière les yeux, entre espoir naïf et duplicité calculée. Chacun essayait de piéger les autres et de fixer des limites à ses propres illusions, l'opérateur en obligations, l'avocat, l'autre avocat, et ces parties de poker constituaient l'essence distillée, le parfait extrait intime de leurs initiatives diurnes. Les cartes glissaient sur le feutre vert de la table ronde. Ils mettaient à contribution tant l'intuition que l'analyse de risques pendant la guerre froide. Tant la ruse que la chance aveugle. Ils attendaient le moment de prescience, Le moment de parier sur la carte dont ils savaient qu'elle allait apparaître, *J'ai senti la dame et la voilà qui sort.* Ils mettaient au pot et guettaient les yeux de l'autre côté de la table. Ils régressaient à des manières de rustres illettrés, en appelant aux morts. Il y avait des aspects de sain défi et de franche moquerie. Et d'autres qui ressortissaient à la volonté de réduire en miettes la virilité estompée d'autrui.

Hovanis, à présent disparu, décida à un moment qu'ils n'avaient pas besoin d'un stud de sept cartes. Le nombre de cartes, de chances et d'options lui semblait excessif et les autres approuvèrent la règle en riant, réduisant le choix du donneur au stud à cinq cartes ou au jeu classique à cinq cartes.

Il en découla une hausse proportionnelle des enjeux.

Puis quelqu'un souleva la question de la nourriture. C'était une plaisanterie. Il y avait de la nourriture sur des plats, posés sans façon sur un comptoir de la cuisine. De quelle discipline pouvons-nous nous targuer, dit Demetrius, si nous prenons le temps de quitter la table et de nous caler les joues avec du pain, de la viande et du fromage bourrés de produits chimiques ? C'était une plaisanterie qu'ils prirent au sérieux car on ne devrait être autorisé à quitter la table que pour sacrifier aux plus impérieuses exigences de la vessie ou dans ces cas de malchance persistante qui incite le joueur à aller contempler par la fenêtre la longue et profonde marée de la nuit.

La nourriture était donc éliminée. Rien à manger. Ils donnaient les cartes, relançaient ou passaient la main. Puis il fut question de l'alcool. Ils savaient que c'était idiot mais ils se demandaient, deux ou trois d'entre eux, s'il ne serait pas souhaitable de limiter leur consommation à des alcools bruns, scotch, bourbon, brandy, des teintes les plus viriles et des distillations plus intenses, plus profondes. Pas de gin, pas de vodka, pas d'alcools pâlots.

Ils prirent plaisir à l'exercice, pour la plupart. Ils apprécièrent de créer une structure à partir de petits détails choisis. Mais pas Terry Cheng, le joueur le plus talentueux, à qui il arrivait de jouer en ligne jusqu'à des vingt heures d'affilée. Terry Cheng les accusa d'être des types superficiels qui menaient des existences frivoles.

Puis quelqu'un fit observer que le jeu classique à cinq cartes était encore plus permissif que le stud poker à sept cartes, et ils se demandèrent pourquoi ils n'y avaient pas songé plus tôt, avec la possibilité qu'a le joueur de jeter et de tirer jusqu'à trois cartes, ou de garder son jeu, de passer la main s'il préfère, et ils convinrent de se limiter à une seule forme de poker, le stud à cinq cartes, et les grosses sommes qu'ils pariaient, les jetons multicolores empilés, les bluffs et les contre-bluffs, les malédictions élaborées et les regards menaçants, l'alcool crépusculaire dans les verres trapus, la fumée de cigare qui s'étageait en strates, les autoflagellations virulentes et taciturnes, ces énergies et ces gestes en libre circulation s'opposaient à l'unique contre-force en forme de restrictions librement adoptées, et d'autant plus incontournables qu'elles avaient été décrétées de l'intérieur.

Rien à manger. La nourriture bannie. Ni gin ni vodka. Pas de bière sauf de la brune. Ils lancèrent un interdit contre toute bière qui ne serait pas brune et contre toute bière brune qui ne serait pas de la Beck's Dark. Tout cela parce que Keith leur raconta une histoire qu'il avait entendue, à propos d'un cimetière en Allemagne, où quatre bons copains, joueurs d'une partie de cartes qui avait duré quatre ou cinq décennies, étaient enterrés dans l'ordre même où ils avaient été assis, invariablement, à leur table de jeu, deux pierres tombales dressées face aux deux autres, chaque joueur à sa place consacrée par le temps.

Ils adoraient cette histoire. C'était une magnifique histoire sur l'amitié et les effets transcendants d'une pratique banale. Elle les rendait respectueux et songeurs, et l'une des choses qui leur vinrent à l'esprit fut qu'il convenait de sacrer la Beck's Dark comme seule et unique bière brune parce que c'était une bière allemande, comme étaient allemands les joueurs de l'histoire.

Quelqu'un voulut interdire les discussions sur le sport, et ils bannirent les discussions sur le sport, sur la télévision, sur les titres de films. Keith trouvait que tout cela devenait idiot. Les règles ont du bon, lui répondirent-ils, et plus elles sont idiotes, meilleures elles sont. Rumsey le roi des blagueurs, et mort à présent, voulait révoquer toutes les prohibitions. Le tabac n'était pas interdit. Il n'y avait qu'un seul fumeur et on l'autorisait à fumer toutes les cigarettes qu'il voulait, pour autant qu'il acceptât d'apparaître comme un cas désespéré dans son anormalité. Les autres fumaient presque tous le cigare et se sentaient conquérants, altiers et haut de gamme, à siroter du scotch ou du bourbon, à trouver des synonymes aux mots prohibés tels qu'*humide* et *sec*.

Vous n'êtes pas des gens sérieux, disait Terry Cheng. Il disait, Soyez sérieux ou périssez.

Le donneur faisait glisser les cartes sur le feutre vert, sans jamais manquer d'annoncer le nom du jeu, stud à cinq cartes, alors même que c'était le seul jeu auquel ils jouaient désormais. La petite ironie sèche de ces annonces s'estompa au bout d'un moment, et ces mots s'assimilèrent à un rituel altier, solennel et indispensable, chaque donneur à son tour, *stud à cinq cartes*, et ils adoraient les prononcer, le visage impénétrable, parce qu'en quel autre lieu auraient-ils eu affaire à ce genre de confortable tradition qu'illustre l'inutile formulation de quelques mots archaïques ? Ils jouèrent sans prendre de risques et le regrettèrent, prirent des risques et perdirent, sombrant dans des états de mélancolie lunaire. Mais il restait toujours des choses à prohiber et des règles à instaurer.

Et puis un soir tout s'écroula. Quelqu'un eut faim et réclama à manger. Un autre donna des coups sur la table en disant, *A manger, à manger*, jusqu'à ce que ces mots se transforment en une incantation qui remplit la pièce. Ils abrogèrent la prohibition qui frappait la nourriture et réclamèrent de la vodka polonaise, plusieurs d'entre eux. Ils voulaient des alcools pâles sortis du congélateur et servis purs dans des verres embués. D'autres interdits tombèrent, des mots bannis furent réintroduits. Ils misèrent et relancèrent, mangèrent et burent, et dès ce moment se remirent à l'ordre du jour le high-low, l'acey-deucey, le Chicago, l'Omaha, le Texas hold'em et l'anaconda, et deux ou trois autres pratiques déviantes au regard de la lignée du poker. Mais ils évitèrent, un joueur après l'autre, d'annoncer un jeu, le stud à cinq cartes, à l'exclusion de tout autre, en s'efforçant de ne pas se demander ce qu'auraient pensé d'eux, à les voir se vautrer dans ce poker primitif, quatre autres joueurs, tombe contre tombe dans un cimetière de Cologne.

Au dîner, ils parlèrent d'un voyage dans l'Utah qu'ils feraient peut-être pendant les vacances scolaires, dans les hautes vallées et le vent purificateur, dans un air respirable, sur des pentes skiables, et le gosse était assis là, un biscuit serré dans la main, les yeux fixés sur son assiette pleine.

"Qu'est-ce que tu en dis ? L'Utah. Dis-le. Utah. Un sacré progrès par rapport à la luge dans le parc."

Il regardait le dîner que son père avait préparé, saumon sauvage, riz brun gluant.

"Il n'a rien à dire. Il est au-delà des monosyllabes, dit Keith. Rappelle-toi quand il ne parlait que par monosyllabes. Ça a duré un bon moment.

— Plus longtemps que je ne m'y attendais, dit-elle.

— Il a dépassé tout ça. Il a accédé au stade suivant de son développement.

— De son développement spirituel, dit-elle.

— Le silence total.

— Le silence absolu, irréductible.

— L'Utah est le lieu des hommes silencieux. Il vivra dans les montagnes.

— Il vivra dans une grotte avec des insectes et des chauves-souris."

Le gosse leva la tête de son assiette en regardant son père ou la clavicule de son père, radiographiant la fine ossature sous la chemise de son père.

"Comment vous savez si les monosyllabes étaient vraiment un truc de l'école ? Peut-être que non, dit-il. Parce que c'était peut-être Bill Lawton. Parce que c'est peut-être Bill Lawton qui parle en monosyllabes."

Lianne se figea sur sa chaise, bouleversée par ces mots, par le nom, en l'entendant le prononcer.

"Je croyais que Bill Lawton était un secret, dit Keith. Entre les Faux Jumeaux et toi. Et entre toi et moi.

— Tu le lui as sûrement déjà dit. Sûrement qu'elle le sait déjà."

Keith la regarda et elle tenta de lui faire signe que *non*, elle n'avait pas pipé sur Bill Lawton. Elle le vrillait d'un regard acéré, yeux étrécis, lèvres serrées, essayant de lui enfoncer ce regard dans le cerveau, un regard qui disait *non*.

"Personne n'a rien dit à personne, dit Keith. Mange ton poisson."

L'enfant se replongea dans la contemplation de son assiette.

"Parce que c'est vrai qu'il parle par monosyllabes.

— Bon. Et qu'est-ce qu'il dit ?"

Pas de réponse. Elle essayait d'imaginer ce qu'il pouvait bien penser. Son père est rentré à la maison, il y vit, il y dort, plus ou moins comme avant, et il se dit : on ne peut pas faire confiance à cet homme, tout de même ? Il voit cet homme comme une forme qui plane au-dessus de la maisonnée, cet homme qui est déjà parti une fois et qui est revenu et qui a tout raconté sur Bill Lawton à cette femme qui dort dans le même lit que lui, alors comment peut-on lui faire confiance pour être encore là demain ?

Si, à tort ou à raison, ton enfant pense que tu es coupable de quelque chose, alors tu es coupable. Et il se trouve qu'il avait raison.

"Il dit des choses que personne ne sait sauf les Faux Jumeaux et moi.

— Dis-nous une de ces choses. Et par monosyllabes, dit Keith avec quelque chose de tranchant dans la voix.

— Non merci.

— C'est lui qui le dit ou c'est toi ?

— Justement, répliqua-t-il en faisant sonner chaque mot comme un défi, bien clairement, il dit des choses sur les avions. Nous savons qu'ils vont venir parce qu'il le dit. Mais c'est tout ce que j'ai le droit de dire. Il dit que cette fois les tours vont tomber.

— Les tours sont déjà tombées. Tu le sais, dit-elle doucement.

— Cette fois-ci, dit-il, elles vont s'écrouler pour de vrai."

Ils lui parlèrent. Ils s'efforcèrent de le raisonner gentiment. Elle n'arrivait pas à situer la menace qu'elle ressentait, à l'écouter parler. Il avait une façon de reconstruire les événements qui l'épouvantait, inexplicablement. Il fabriquait une situation meilleure qu'elle ne l'était en réalité, les tours étaient encore debout, mais l'inversion du temps, la sinistre brutalité de la poussée finale, la manière dont le mieux devient le pire, c'étaient là les éléments d'un conte de fées raté, étrangement inquiétant mais dépourvu de cohérence. C'était le conte de fées que les enfants racontent, et pas celui qu'ils écoutent, conçu par des adultes, alors elle revint à l'Utah. Pistes de ski et authentiques ciels.

Il regardait dans son assiette. Quelle différence y a-t-il entre un poisson et un oiseau ? L'un vole, l'autre nage. Peut-être est-ce ce à quoi il pensait. Il n'aurait pas mangé un oiseau, hein, un chardonneret ou un geai bleu. Pourquoi aurait-il mangé un poisson qui nageait en liberté dans l'océan, pris avec dix mille autres poissons dans un filet géant sur la chaîne 27 ?

L'un vole, l'autre nage.

C'était ce qu'elle sentait en lui, ces pensées obstinées, avec le biscuit salé serré dans sa main.

Keith traversa le parc à pied et sortit dans la 90e Rue ouest et c'était étrange, ce qu'il apercevait près du jardin communautaire et qui venait vers lui, une femme au milieu de la rue, à cheval, coiffée d'un casque jaune et une cravache à la main, qui tressautait au-dessus de la circulation, et il lui fallut un moment pour comprendre que la femme et sa monture sortaient d'une écurie située dans les parages, et se dirigeaient vers l'allée cavalière du parc.

C'était quelque chose qui appartenait à un autre paysage, quelque chose d'inséré, une évocation qui ressembla un bref instant à une image à demi perçue et seulement à demi validée par la perception, quand le témoin se demande ce qui est arrivé à la signification des choses, à l'arbre, à la rue, à la pierre, au vent, ces mots simples perdus dans la pluie de cendre.

Il avait pris l'habitude de rentrer tard, l'air rayonnant et un peu dément. C'était la période, peu de temps avant la séparation, où il assimilait la moindre question à une forme d'interrogatoire et d'agression. Il semblait franchir le seuil comme déjà à l'affût de ses questions, préparé à passer au travers, le regard buté, mais elle ne voyait pas l'intérêt de dire quoi que ce soit. Elle pensait savoir à quoi s'en tenir. Elle comprenait désormais que ce n'était pas la boisson, ou pas seulement, non plus, probablement, que quelque exercice physique avec une femme. Il le dissimulerait mieux, se disait-elle. C'était la personne qu'il était, sa face originelle, avant que ne la nivellent les exigences du code social.

Parfois, ces nuits-là, il semblait sur le point de dire quelque chose, un fragment de phrase, rien de plus, et tout serait fini entre eux, toute parole, toute forme d'arrangement, quoi qu'il en fût des traces d'amour qui s'attardaient encore. Il avait ce regard vitreux et sur les lèvres ce sourire humide plein d'une arrogance adolescente affreuse à voir. Mais il ne traduisait pas en mots ce qu'il y avait dessous, quoi que ce fût, ce quelque chose de si terriblement cruel, assurément, qu'elle en était remplie d'effroi, qu'il le proférât ou non. Il traversait l'appartement, légèrement penché de côté, avec un sourire que déformait la culpabilité, prêt à briser une table et à y mettre le feu afin de pouvoir sortir sa queue et pisser sur les flammes.

Ils étaient en route vers le centre dans un taxi, et ils commencèrent à s'agripper l'un à l'autre, à s'embrasser et se peloter. Dans un murmure fébrile elle disait *C'est un film, c'est un film.* Aux feux rouges, les gens qui traversaient la rue s'arrêtaient pour regarder, deux ou trois, donnant la fugace impression de flotter au-dessus des vitres, un seul parfois. Les autres se contentaient de traverser, ceux qui s'en fichaient.

Dans le restaurant indien l'homme au comptoir déclara Nous ne faisons pas de tablées incomplètes.

Elle le questionna un soir sur les amis qu'il avait perdus. Il parla d'eux, de Rumsey et de Hovanis, et de celui qui avait été très gravement brûlé, dont elle avait oublié le nom. Elle avait rencontré l'un d'eux, Rumsey, se dit-elle, brièvement, quelque part. Il ne parla que de leurs qualités, de leurs personnalités, mariés ou célibataires, enfants ou pas, et ce fut suffisant. Elle ne voulait pas en entendre davantage.

C'était toujours là, le plus souvent, la musique dans l'escalier.

Il y avait une offre d'emploi qu'il allait probablement accepter, qui consistait à rédiger des contrats de vente pour des investisseurs brésiliens qui s'occupaient de transactions immobilières à New York. A l'entendre, on eût dit qu'il parlait d'un parcours en deltaplane, entièrement guidé par le vent.

Au début elle lui lavait ses vêtements à part. Elle n'avait pas idée de la raison pour laquelle elle agissait ainsi. C'était comme s'il avait été mort.

Elle écoutait ce qu'il disait et lui manifestait qu'elle écoutait, corps et âme, parce que c'était l'écoute qui les sauverait, cette fois, qui les empêcherait de basculer dans la distorsion et la rancœur.

C'étaient les noms faciles qu'elle oubliait. Mais celui-là n'était pas facile et il sonnait comme une fanfaronnade, comme le nom d'un footballeur de l'Alabama, et c'est comme ça qu'elle se souvenait de Demetrius, grand brûlé de l'autre tour, la tour sud.

Quand elle le questionna sur la mallette dans la penderie, lui demanda pourquoi elle avait disparu du jour au lendemain, il dit qu'en fait il l'avait rendue à son propriétaire parce qu'elle n'était pas à lui et qu'il ne savait pas pourquoi il l'avait emportée en quittant le building.

Ce qui était ordinaire ne l'était pas plus que d'habitude, ni moins.

Ce fut l'expression *en fait* qui la fit réfléchir à ce qu'il avait dit sur la mallette, bien qu'il n'y eût pas là matière à réflexion, même si c'était l'expression qu'il avait si souvent utilisée, de manière plus ou moins superflue, ces dernières années, lorsqu'il lui mentait, la tourmentait, ou même lorsqu'il l'arnaquait gentiment.

C'était là l'homme qui refusait de se soumettre à son besoin de contrôler l'intimité, l'hyper-intimité, à ce besoin compulsif d'interroger, de scruter, de s'appesantir, d'extirper les choses, de faire commerce des secrets, de tout dire. C'était un besoin qui contenait en lui le corps, mains, pieds, sexe, odeurs crades, saleté, même s'il n'était que paroles ou murmure ensommeillé. Elle voulait tout absorber, comme un enfant, la poussière des sensations divergentes, tout ce qu'elle pouvait inhaler provenant des pores des autres. Elle se disait naguère qu'elle était les autres. Les autres ont des vies plus vraies.

C'est un film, ne cessait-elle de dire, sa main à lui dans sa culotte à elle, disait-elle dans un gémissement en forme de mots, et aux feux rouges les gens regardaient, quelques-uns, et le chauffeur regardait, feu rouge ou non, glissant des regards obliques dans le rétroviseur.

Mais elle pouvait aussi se tromper sur ce qui était ordinaire. Peut-être que rien ne l'était. Peut-être y avait-il un pli profond dans le grain des choses, la façon dont les choses traversent l'esprit, la façon dont le temps oscille dans l'esprit, qui est le seul endroit où il existe de manière rationnelle.

Il écoutait des cassettes étiquetées Portugais d'Amérique latine, et s'exerçait avec l'enfant. Il disait, je parle seulement un peu de portugais, il le disait en anglais avec un accent latino, et Justin s'efforçait de ne pas sourire.

Elle lisait dans les journaux les portraits des morts, tous ceux qui étaient imprimés. Ne pas les lire, ne pas lire chacun d'entre eux était une offense, une violation des principes de responsabilité et de confiance. Mais elle les lisait aussi parce qu'elle en éprouvait le besoin, un besoin qu'elle n'essayait pas d'interpréter.

Après la première fois qu'ils eurent fait l'amour, il était dans la salle de bains, aux premières lueurs de l'aube, et elle s'était levée pour s'habiller et aller courir mais elle pressa son corps nu contre le miroir en pied, visage de côté, mains levées à hauteur de la tête. Elle pressa son corps contre la glace, les yeux clos, et resta ainsi un long moment, comme écroulée, s'abandonnant à la fraîcheur de la surface. Puis elle enfila son short et son t-shirt, et elle laçait ses chaussures lorsqu'il sortit de la salle de bains, bien rasé, et qu'il vit les marques embuées de son visage, de ses mains, de ses seins et de ses cuisses, imprimées sur le miroir.

Il était assis parallèlement à la table, l'avant-bras gauche posé le long du bord, la main pendant à l'extrémité du bord perpendiculaire. Il travaillait les formes de la main, la courbure du poignet vers le sol, la courbure du poignet vers le plafond. Il se servait de la main non concernée pour faire pression sur la main concernée.

Le poignet allait bien, le poignet était normal. Il avait jeté l'attelle et cessé de mettre de la glace. Mais il s'asseyait parallèlement à la table, deux ou trois fois par jour à présent, repliant la main gauche sans serrer le poing, l'avant-bras bien à plat sur la table, le pouce dressé pour certains exercices. Il n'avait pas besoin de la fiche d'instructions. Les gestes étaient automatiques, les extensions du poignet, les étirements du cubitus, la main levée, l'avant-bras posé à plat. Il comptait les secondes, il comptabilisait la fréquence.

Il y avait les mystères des mots et des regards, mais il y avait autre chose, chaque fois qu'ils se voyaient il y avait d'abord quelque chose de tâtonnant, d'un peu guindé.

"Je les vois dans la rue de temps en temps.

— Ça m'a paralysé un moment. Un cheval, dit-il.

— Un homme à cheval. Une femme à cheval. Pas trop un truc pour moi, ça, dit Florence. Tu peux me donner tout ton argent. Rien à faire. Je ne monte pas sur un cheval."

Il y avait d'abord comme une timidité et puis quelque chose qui venait détendre l'atmosphère, un regard ou une blague ou la façon dont elle se mettait à fredonner, dans une parodie de désespérance sociale, les yeux qui furetaient autour de la pièce. Mais ce vague inconfort des premiers instants, cette impression d'individus mal assortis ne s'était pas entièrement dissipée.

“Cinq ou six chevaux en file indienne, quelquefois, en train de remonter la rue. Et les cavaliers qui regardent droit devant eux, dit-elle, comme si les indigènes risquaient de le prendre mal.

— Je vais te dire ce qui me surprend.

— Ce sont mes yeux ? mes lèvres ?

— C’est ton chat, dit-il.

— Je n’ai pas de chat.

— C’est ça qui me surprend.

— Tu trouves que je suis une personne à chat.

— Je te vois avec un chat, assurément. Il devrait y avoir un chat qui glisse le long des murs.”

Il était dans le fauteuil cette fois et elle avait mis une chaise de cuisine juste à côté et s’était assise en face de lui, une main posée sur son avant-bras.

“Dis-moi que tu ne vas pas accepter cet emploi.

— Je suis obligé.

— Et que deviennent nos moments ensemble ?

— Nous trouverons un moyen.

— J’ai envie de te faire des reproches. Mais c’est mon tour à présent. On dirait bien que toute l’entreprise déménage de l’autre côté du fleuve. Définitivement. Nous aurons une jolie vue sur le bas de Manhattan. Sur ce qu’il en reste.

— Et tu trouveras un logement à proximité.”

Elle le dévisagea.

“Tu ne parles pas sérieusement ? Je ne peux pas croire que tu aies dit ça. Crois-tu vraiment que je pourrais mettre autant d’espace entre nous ?

— Pont ou tunnel, c’est pareil. C’est l’enfer, ces trajets aller et retour.

— Cela m'est égal. Tu crois que ça compte pour moi ? Ils remettront les trains en circulation. Sinon, j'irai en voiture.

— D'accord.

— C'est simplement Jersey.

— D'accord", dit-il.

Il crut qu'elle allait pleurer. Il croyait que ce genre de conversation était pour les autres. Les gens ont constamment ces conversations-là, se disait-il, dans des pièces comme celle-ci, assis, à se regarder.

Puis elle dit : "Tu m'as sauvé la vie. Ne le sais-tu pas ?"

Il s'adossa à son siège, les yeux fixés sur elle.

"C'est ta mallette que j'ai sauvée."

Et il attendit qu'elle rie.

"Je ne peux pas te l'expliquer mais non, tu m'as sauvé la vie. Après ce qui s'est passé, tant de gens disparus, des amis, des gens avec qui je travaillais, j'étais pratiquement disparue aussi, pratiquement morte d'une autre façon. Je ne pouvais plus voir personne, plus parler à personne, plus aller d'un endroit à un autre sans avoir à me forcer pour quitter mon siège. Puis tu es arrivé. Je composais sans cesse le numéro d'une amie, disparue, elle est sur les photos partout sur les murs et aux fenêtres, Davia, officiellement portée disparue, je peux à peine prononcer son nom, au milieu de la nuit, appeler, laisser sonner. Dans la journée, j'avais peur que d'autres gens soient là pour décrocher, quelqu'un qui aurait su quelque chose que je ne voulais pas entendre. Puis tu es arrivé. Tu te demandes pourquoi tu as pris cette mallette avec toi en quittant l'immeuble. Eh bien, voilà pourquoi. Pour me la rapporter. Pour que nous puissions faire connaissance. Voilà pourquoi tu l'as prise et voilà pourquoi tu l'as rapportée ici, pour me maintenir en vie."

Il n'y croyait pas mais il la croyait. Elle le ressentait, elle. Véritablement.

"Tu te demandes quelle est l'histoire qui va avec la mallette. Eh bien, c'est moi, l'histoire", dit-elle.

VII

Les deux objets sombres, la bouteille blanche, les boîtes entassées. Lianne se détourna du tableau et vit la pièce elle-même comme une nature morte, l'espace d'un instant. Puis voici qu'apparaissent les éléments humains, la Mère et l'Amant, et Nina, toujours dans le fauteuil, songeant de loin à quelque chose, et Martin assis à présent sur le bras du canapé, en face d'elle.

Et sa mère de dire enfin : "De l'architecture, oui, peut-être, mais d'une autre époque, d'un autre siècle. Des tours de bureaux, non. Ces formes ne sont pas traduisibles en tours modernes, en tours jumelles. C'est une œuvre qui exclut ce genre d'extension ou de projection. Elle vous entraîne loin à l'intérieur de vous-même. C'est ce que je vois là, à moitié enfoui, quelque chose de plus profond que les choses ou la forme des choses."

Lianne sut, en un éclair, ce que sa mère allait dire.

Elle dit : "On revient toujours à la notion de condition mortelle, non ?

— De condition humaine, dit Lianne.

— La condition humaine est mortelle. Ces tableaux sont ce vers quoi je me tournerai quand j'aurai cessé de regarder tout le reste. Je regarderai des bouteilles et des bocaux. Je m'assiérai devant et je regarderai.

— Il faudra que tu rapproches un peu le fauteuil.

— Je le pousserai contre le mur. J'appellerai le responsable de l'entretien de l'immeuble et je lui ferai pousser le fauteuil. Je serai trop faible pour le faire moi-même. Je regarderai et je rêverai. Ou bien je me contenterai de regarder. Au bout d'un certain temps, je n'aurai plus besoin des tableaux. Les tableaux seront en trop. Je regarderai le mur."

Lianne s'approcha du canapé et donna une petite tape sur le bras de Martin.

"Et tes murs à toi ? Qu'y a-t-il, sur tes murs ?

— Mes murs sont nus. A la maison et au bureau. Je garde mes murs nus, dit-il.

— Pas complètement, dit Nina.

— Bon, pas complètement."

Elle le regardait.

"Tu nous dis d'oublier Dieu."

La dispute avait été là tout ce temps, dans l'air et sur la peau, mais le changement de ton était abrupt.

"Tu nous dis que c'est l'histoire."

Nina regardait Martin, elle le dévisageait intensément, la voix chargée d'accusation.

"Mais nous ne pouvons oublier Dieu. Ils l'invoquent constamment. C'est la plus ancienne source, le mot le plus ancien. Bien sûr qu'il y a autre chose mais ce n'est ni l'histoire ni l'économie. C'est ce que les hommes ressentent. C'est ce qui se passe entre les hommes, le sang qui surgit quand une idée se met à voyager, quoi qu'il se dissimule derrière, force aveugle, force brutale, ou intensité du besoin. Comme il est commode de trouver un système de croyance qui justifie tous ces sentiments et ces meurtres.

— Mais le système ne le justifie pas. L'islam dénonce cela, dit-il.

— Si tu lui donnes le nom de Dieu, alors c'est Dieu. Dieu, c'est tout ce que Dieu autorise.

— Tu ne te rends pas compte comme c'est bizarre ? Tu ne vois pas ce que tu nies ? Tu nies l'existence de tout grief humain à l'égard d'autrui, de tout le poids de l'histoire qui met les gens en conflit.

— Nous sommes en train de parler de ces gens, là, tout de suite. Leur grief est mal placé. C'est une infection virale. Un virus se reproduit en dehors de l'histoire."

Il était assis de biais sur l'accoudoir du canapé et l'observait, penché vers elle à présent.

"D'abord ils vous tuent et ensuite vous vous efforcez de les comprendre. Peut-être finira-t-on par apprendre leurs noms. Mais il faut qu'ils vous tuent d'abord."

Et ainsi de suite, un certain temps, cependant que Lianne écoutait, troublée par la ferveur qu'il y avait dans leurs voix. Martin était plongé dans la discussion, l'une de ses mains agrippée à l'autre, et il parlait de territoires perdus, d'Etats trahis, d'intervention étrangère, d'argent, d'empire, de pétrole, et du cœur narcissique de l'Occident, et elle se demandait comment il faisait le travail qu'il faisait, comment il gagnait sa vie, à déplacer de l'art, à faire des bénéfices. Et puis il y avait les murs nus. Elle se posait des questions là-dessus.

Nina dit : "Je vais fumer une cigarette, maintenant."

La phrase relâcha la tension dans la pièce, la manière qu'elle avait de l'énoncer, avec gravité, comme une annonce et un événement conséquents, à l'aune du niveau de la discussion. Martin éclata de rire, quitta sa position crispée et alla dans la cuisine se chercher une autre bière.

“Où est mon petit-fils ? Il est en train de faire mon portrait au pastel.

— Tu as fumé une cigarette il y a vingt minutes.

— Je pose pour mon portrait. J’ai besoin de me détendre.

— Il sort de classe dans deux heures. Keith va aller le chercher.

— Justin et moi. Il faut que nous parlions teint, couleurs plus claires.

— Il aime le blanc.

— Il pense très blanc. Comme le papier.

— Il se sert des couleurs vives pour les yeux, les cheveux, peut-être la bouche. Là où nous voyons de la chair, il voit du blanc.

— Il pense papier, pas chair. Le travail est un fait en soi. Le sujet du portrait, c’est le papier.”

Martin entrait en léchant la mousse au bord du verre.

“Est-ce qu’il a bien un crayon blanc ?

— Il n’a pas besoin de crayon blanc. Il a du papier blanc”, dit-elle.

Il s’arrêta pour regarder sur le mur sud les anciennes photos de passeport que le temps avait tachées, et Nina le suivait des yeux.

“Si beaux et si nobles, dit-elle. Ces gens et ces photos. Je viens de renouveler mon passeport. Dix ans déjà, passés comme une gorgée de thé. Je ne me suis jamais beaucoup préoccupée de la tête que j’ai en photo. Pas comme certaines personnes. Mais cette photo-là m’effraie.

— Où vas-tu ? dit Lianne.

— Je n’ai pas besoin d’aller quelque part pour avoir un passeport.”

Martin s’approcha de son fauteuil et se tint derrière, accoudé au dossier, en se penchant pour dire avec douceur :

“Tu devrais aller quelque part. Un voyage prolongé, quand nous reviendrons du Connecticut.

Personne ne voyage en ce moment. Tu devrais y réfléchir.

— Pas une bonne idée.

— Loin, dit-il.

— Très loin.

— Au Cambodge. Avant que la jungle n'ait envahi ce qui reste. J'irai avec toi, si tu veux."

Sa mère fumait une cigarette comme une femme des années quarante, dans un film de gangsters, avec une sorte de fébrilité nerveuse, en noir et blanc.

"Je regarde le visage sur la photo de passeport. Qui est cette femme ?

— Je relève la tête au-dessus du lavabo, dit Martin.

— Qui est cet homme ? Tu crois te voir dans le miroir. Mais ce n'est pas toi. Ce n'est pas à cela que tu ressembles. Ce n'est pas le visage littéral, si pareille chose existe. C'est le visage composite. C'est le visage en transition.

— Ne me dis pas ça.

— Ce que tu vois n'est pas ce que nous voyons. Ce que tu vois est perturbé par le souvenir, par le fait d'être qui tu es, qui tu as été tout ce temps, toutes ces années.

— Je ne veux pas entendre ça, dit-il.

— Ce que nous voyons est la vérité vivante. Le miroir adoucit l'effet en immergeant le visage réel. Ton visage est ta vie. Mais ton visage est également immergé dans ta vie. C'est pourquoi tu ne le vois pas. Seuls les autres le voient. Et l'appareil photographique, bien sûr."

Il sourit dans son verre. Nina écrasa sa cigarette à peine fumée, dispersant de la main un filet de brume grisâtre.

"Et puis il y a la barbe, dit Lianne.

— La barbe aide à enfouir le visage.

— C'est à peine une barbe.

— Mais c'est tout l'art de la chose, dit Nina.

— L'art de paraître négligé.

— Négligé mais extrêmement sensible.

— C'est de l'humour américain, ça ?

— La barbe est un bon truc.

— Il lui parle, dit Nina. Tous les matins, dans le miroir.

— Et qu'est-ce qu'il lui dit ?

— Il parle en allemand. La barbe est allemande.

— Je suis flatté, d'accord ? dit-il. D'être l'objet de telles plaisanteries.

— Le nez est austro-hongrois."

Il se pencha vers Nina, toujours debout derrière elle, lui effleurant la joue du dos de la main. Puis il emporta le verre vide à la cuisine et les deux femmes se turent un moment. Lianne avait envie de rentrer chez elle pour dormir. Sa mère avait envie de dormir, et elle voulait dormir. Elle avait envie de rentrer et de parler un peu avec Keith avant de s'affaler sur le lit et de dormir. De parler avec Keith ou de ne pas parler du tout. Mais elle avait envie qu'il soit là quand elle rentrerait.

La voix de Martin s'éleva du bout de la pièce, les surprenant toutes deux.

"Ils veulent leur place dans le monde, leur propre union globale, pas la nôtre. C'est une vieille guerre morte, dis-tu. Mais elle est partout et elle a ses raisons.

— Je m'y suis laissé prendre.

— Il ne faut pas t'y laisser prendre. Tu ne dois pas t'imaginer que ces gens mourront uniquement pour Dieu", dit-il.

Son téléphone portable sonna et il changea de posture, se tournant vers le mur avec l'air de parler dans sa poitrine. Ces fragments de conversation, que Lianne avait déjà entendus, de loin, comportaient des phrases en anglais, en français et en allemand, selon l'interlocuteur, et parfois une petite syllabe ciselée telle que *Braque* ou *Johns*.

Il eut vite terminé et rangea son téléphone.

"Voyager, oui, c'est une chose que tu devrais envisager, dit-il. Fais réparer ton genou et partons, je ne plaisante pas.

— Très loin.

— Très loin.

— Des ruines, dit-elle.

— Des ruines.

— Nous avons nos propres ruines. Mais je ne crois pas que j'aie envie de les voir."

Il longeait le mur en direction de la porte.

"Mais c'est bien pour ça que vous aviez construit les tours, non ? N'ont-elles pas été conçues comme des fantasmes de richesse et de puissance, destinés à devenir un jour des fantasmes de destruction ? C'est pour la voir s'écrouler que l'on construit une chose pareille. La provocation est évidente. Quelle autre raison aurait-on de la dresser si haut et puis de la faire en double, de la dupliquer ? C'est un fantasme, alors pourquoi ne pas le répéter deux fois ? Ce que vous dites, c'est : La voici, démolissez-la."

Puis il ouvrit la porte et s'éclipsa.

Il regardait le poker à la télévision, des visages tourmentés dans un complexe de casinos installé dans le désert. Il regardait sans éprouver d'intérêt. Ce n'était pas du poker, c'était de la télévision. Justin entra et regarda avec lui, et il expliqua le jeu au gosse, par bribes, tandis que les joueurs s'interrompaient et relançaient et que les stratégies se déployaient. Puis Lianne entra et s'assit par terre, les yeux sur son fils. Il était assis incliné à l'extrême, touchant à peine le siège et les yeux rivés sur l'écran lumineux, sans défense, victime d'un rapt extraterrestre.

Elle regarda l'écran, les visages en gros plan. Le jeu lui-même se muait en anesthésie, la monotonie de cent mille dollars gagnés ou perdus sur une carte tirée. Cela ne signifiait rien qui ne fût extérieur à son intérêt ou à sa sympathie. Mais les joueurs étaient intéressants. C'était les joueurs qu'elle regardait, ils l'attiraient dans leur cercle, imperturbables, vitreux, avachis, des hommes en proie au malheur, songea-t-elle, passant soudain à Kierkegaard sans transition, et se souvenant des longues nuits qu'elle avait passées le nez dans un texte. Elle regardait l'écran et imaginait une pâleur nordique, blafarde, des visages égarés dans le désert. N'y avait-il pas un combat intérieur, une impression de dilemme ininterrompu, même dans le petit clignement d'œil victorieux du gagnant ?

Elle ne dit rien de tout cela à Keith, qui se serait à moitié tourné vers elle, le regard perdu au loin avec un air faussement contemplatif, bouche ouverte, en fermant lentement les paupières pour laisser finalement retomber sa tête sur sa poitrine.

Il pensait à sa présence ici, c'est à ça que pensait Keith, ce n'était pas tellement qu'il y pensait, mais il la ressentait, il la vivait. Il voyait le visage de Lianne reflété dans un angle de l'écran. Il observait les joueurs et notait les détails de la progression de la partie mais il l'observait aussi, elle, et il éprouvait la sensation d'être là avec eux. Il avait un verre de scotch single malt dans la main. Il entendait une alarme de voiture dans la rue. Il tendit le bras et tapota la tête de Justin, toc

toc, pour lui signaler une révélation imminente car la caméra était en train de fondre sur les cartes retournées d'un joueur qui ne savait pas encore qu'il était mort.

"Il est mort", dit-il à son fils, et le gosse garda le silence, dans sa posture bizarrement oblique, à moitié assis dans le fauteuil et à moitié par terre, quasiment sous hypnose.

Elle aimait l'antiquité de Kierkegaard, l'éclatante dramaturgie de la traduction qu'elle possédait, une vieille anthologie aux pages friables et soulignées à l'encre rouge avec une règle, qu'elle tenait de quelqu'un de la famille de sa mère. C'était ce qu'elle lisait et relisait jusque tard dans la nuit à l'université, dans sa chambre, véritable masse mouvante de papiers, de vêtements, de livres et d'équipement de tennis qu'elle se plaisait à considérer comme la corrélation objective d'un esprit qui débordait. Qu'est-ce qu'une corrélation objective ? Qu'est-ce que la dissonance cognitive ? Elle avait toutes les réponses en ce temps-là, c'est ce qu'il lui semblait à présent, et elle avait adoré Kierkegaard, jusqu'à l'orthographe de son nom. Le puissant *k* scandinave, et le délicat redoublement du *a*. Sa mère lui envoyait tout le temps des livres, de grands romans, denses et exigeants, touffus, impitoyables, mais qui écrasaient son ardent besoin d'apprendre à se connaître, de lire des choses plus proches de la pensée et du cœur. Elle lisait son Kierkegaard avec une espérance fébrile, s'enfonçant au tréfonds des mauvaises terres protestantes de la maladie jusqu'à la mort. Sa camarade de chambre écrivait des textes punk pour un groupe imaginaire du nom de Pisse dans ma Gueule et Lianne enviait son désespoir créatif. Kierkegaard la gratifiait d'un danger, de la sensation d'un gouffre spirituel. *Tout de l'existence m'épouvante*, écrivait-il. Elle se reconnaissait dans cette phrase. Il lui faisait ressentir que son irruption dans le monde n'était pas le mince mélodrame qu'il lui arrivait de penser qu'elle était.

Alors qu'elle scrutait les visages des joueurs de cartes, elle surprit le regard de son mari, un reflet sur l'écran, qui la regardait, et elle sourit. La boisson ambrée dans sa main. L'alarme de voiture qui retentissait quelque part dans la rue, rassurante composante de l'environnement familier, quand s'installe la nuit tranquille. Elle tendit le bras et délogea l'enfant de son perchoir. Avant qu'il n'aille se coucher, Keith lui demanda s'il avait envie d'avoir un paquet de jetons de poker et un jeu de cartes.

La réponse fut peut-être, ce qui voulait dire oui.

Finalement, il fallut qu'elle le fasse et elle le fit donc, frappant à la porte, avec force, et attendant qu'Elena vienne ouvrir, tandis que des voix tremblaient à l'intérieur, un chœur de femmes qui chantaient doucement, en arabe.

Elena avait un chien nommé Marko. Lianne s'en souvint à l'instant où elle frappait à la porte. Marko, songea-t-elle, avec un *k*, quelle qu'en soit la signification.

Elle frappa de nouveau, cette fois avec le plat de la main, et la femme apparut, en jean couture et t-shirt à sequins.

“La musique. Sans arrêt, jour et nuit. Et fort.”

Elena l'écrasa du regard, irradiant une existence entière de susceptibilité à l'insulte.

“Vous ne vous rendez pas compte ? On l'entend dans l'escalier, on l'entend dans les appartements. Sans arrêt, jour et nuit, merde à la fin.

— Qu'est-ce qui se passe ? De la musique, voilà tout. J'aime cette musique. C'est beau. Ça m'apaise. Je l'aime, je l'écoute.

— Pourquoi en ce moment ? En ce moment particulier ?

— En ce moment, plus tard, quelle différence ? C'est de la musique.

— Mais pourquoi en ce moment, et pourquoi si fort ?

— Personne ne s'est jamais plaint. C'est la première fois que j'entends dire ça, fort. Ce n'est pas si fort.

— C'est fort.

— C'est de la musique. Vous avez envie de prendre ça comme une offense personnelle, alors qu'est-ce que vous voulez que je vous dise ?"

Marko vint à la porte, soixante kilos, noir, pelage épais et pieds palmés.

"Bien sûr que c'est une offense personnelle. N'importe qui le prendrait comme ça. Dans ces circonstances. Il y a des circonstances. Vous l'admettez, non ?

— Il n'y a pas de circonstances. C'est de la musique, dit-elle. Elle m'apaise.

— Mais pourquoi en ce moment ?

— Cette musique n'a rien à voir avec maintenant ou alors ni avec n'importe quand. Et jamais personne n'a dit que c'était fort.

— C'est putain fort.

— Vous devez être d'une sensibilité extrême, ce que je n'imaginerais jamais à entendre la manière dont vous vous exprimez.

— La ville entière est d'une sensibilité extrême en ce moment. Où est-ce que vous étiez cachée ?"

Chaque fois qu'elle voyait le chien dehors dans la rue, à cent mètres, avec Elena armée de son petit sac en plastique pour récolter sa merde, elle se disait Marko avec un *k*.

"C'est de la musique. Elle me plaît. Je l'écoute. Si vous trouvez qu'elle est trop forte, vous n'avez qu'à marcher plus vite jusque chez vous."

Lianne flanqua sa main sur le visage de la femme.

"Elle vous apaise", dit-elle.

Retournant sa main ouverte sur le visage d'Elena, sous l'œil gauche, elle la repoussait dans son entrée.

"Elle vous apaise", dit-elle.

Marko recula dans l'appartement en aboyant, Lianne écrasa sa main sur l'œil et la femme lui lança un coup de poing, un droit direct, aveugle qui alla frapper le tranchant de la porte. Lianne savait qu'elle perdait la tête, même si elle faisait demi-tour et sortait, claquant la porte derrière elle et sous les aboiements du chien qui couvraient le son d'un solo de flûte, turc, égyptien, ou kurde.

Rumsey avait un bureau dans une alvéole proche de la façade nord, une canne de hockey était appuyée dans un angle. Keith et lui improvisaient des parties à deux heures du matin sur les Chelsea Piers. Pendant les mois chauds, ils flânaient dans les rues et sur les places à l'heure du déjeuner, dans l'ombre mobile des tours, à regarder les femmes, à parler de femmes, à se raconter des choses, à se réconforter.

Keith, séparé, vivait à proximité par commodité, mangeait par commodité, vérifiant la durée des films de location avant de les sortir du magasin. Rumsey, célibataire, avait une liaison avec une femme mariée, récemment arrivée de Malaisie, et qui vendait des t-shirts et des cartes postales à Canal Street.

Rumsey avait des manies. Il l'avoua à son ami. Il avoua tout, ne dissimula rien. Il comptait les voitures garées dans la rue, les fenêtres d'un immeuble de la rue suivante. Il comptait les pas qu'il faisait, d'ici à là. Il mémorisait les choses qui lui passaient par la tête, des flux d'informations, plus ou moins sans s'en rendre compte. Il était capable de réciter la fiche individuelle d'une bonne vingtaine d'amis et connaissances, adresses, numéros de téléphone, dates d'anniversaire. Des mois après le passage sur son bureau du dossier d'un client quelconque, il était capable de vous dire le nom de jeune fille de la mère du type.

Tout ça n'avait rien de charmant. C'était un pathos avéré chez lui. Sur le terrain de hockey, au poker, Keith et lui partageaient une sorte de perception réciproque, lui et Keith, une intuition de la méthodologie de l'autre en tant que partenaire ou qu'adversaire. Il était ordinaire à bien des points de vue, Rumsey, avec sa large silhouette carrée, son tempérament égal, mais il poussait parfois sa banalité à ses extrémités. Quarante et un ans, costume-cravate, qui déambule le long des promenades, dans des vagues de chaleur accablante, à l'affût de femmes pieds nus dans des sandales.

Eh bien oui, il dénombrait tout, compulsivement, y compris les unités qui constituent l'avant du pied d'une femme. Il l'admit. Keith ne rit pas. Il essayait de voir là l'expression d'une banale activité humaine, inexplicable, une chose que les gens font, nous tous, sous une forme ou une autre, dans les moments de rupture d'avec la vie que les autres croient que nous vivons. Il ne rit pas, puis il rit. Mais il comprenait que cette fixation n'avait pas de finalité sexuelle. C'était le fait de compter qui importait, même si le résultat était établi d'avance. Les orteils d'un pied, les orteils de l'autre. Dix en tout, toujours.

Keith, grand, douze ou quinze centimètres de plus que son ami. Il voyait se dessiner chez Rumsey une calvitie masculine classique, de semaine en semaine aurait-on dit, au fil de leurs flâneries de l'heure du déjeuner, ou quand Rumsey était affalé dans son alvéole, ou tenait un sandwich à deux mains, tête penchée pour le manger. Il avait toujours sa bouteille d'eau avec lui. Il mémorisait les numéros des plaques minéralogiques même en conduisant.

Keith qui voyait une femme avec deux gosses, bon dieu. Et qui vivait foutrement loin, à Far Rockaway.

Des femmes sur des bancs ou sur des marches, en train de lire ou de faire des mots croisés, en train de se faire bronzer, la tête rejetée en arrière, en train de manger des yaourts avec des cuillères bleues, des femmes en sandales, certaines, les doigts de pied à l'air.

Rumsey les yeux baissés, en train de suivre le palet sur la glace, fracassant de tout son poids la palissade, libéré de tout besoin aberrant pour une ou deux heures de bonheur éclatant.

Keith en train de courir sur place, sur un tapis au gymnase, des voix plein la tête, la sienne surtout, même quand il portait des oreillettes, en train d'écouter des livres enregistrés, de science ou d'histoire.

Le compte se montait toujours à dix. Ce n'était ni un sujet de découragement ni un obstacle. Dix ou la beauté de la chose. Dix ou probablement la raison pour laquelle je le fais. Afin d'obtenir cette uniformité, disait Rumsey. Quelque chose tient bon, quelque chose reste en place.

La petite amie de Rumsey voulait qu'il investisse dans l'affaire qu'elle dirigeait avec trois de ses proches dont son mari. Ils voulaient augmenter leur stock, y ajouter des chaussures de sport et du petit matériel électronique.

Les orteils ne signifiaient rien s'ils n'étaient pas encadrés par des sandales. Les femmes nu-pieds sur la plage n'avaient rien à voir avec leurs pieds.

Il accumulait des miles sur ses cartes de crédit et prenait l'avion pour se rendre dans des villes choisies en fonction de leur seule distance avec New York, juste pour utiliser ses miles. Satisfaisant ainsi quelque principe de crédit émotionnel.

Il y avait çà et là des hommes nu-pieds dans des sandales, dans les rues et les parcs, mais Rumsey ne comptait pas leurs doigts de pied. Aussi n'était-ce peut-être pas uniquement le fait de compter qui importait. Il fallait bien intégrer le facteur femmes. Il l'admit. Il admettait tout.

La persistance des besoins de cet individu exerçait une sorte d'attrait maladif. Elle ouvrait Keith à des choses plus obscures, placées plus bizarrement, à quelque chose de tapi et d'incorrigible chez les gens mais capable aussi d'éveiller en lui un élan chaleureux, une nuance rare d'affinité.

La calvitie de Rumsey, à mesure qu'elle progressait, était douce mélancolie, regret méditatif d'un garçon qui avait échoué.

Ils s'étaient battus une fois, brièvement, sur la glace, coéquipiers opposés par erreur au cours d'une mêlée monstre, et Keith avait trouvé ça drôle mais Rumsey s'était montré furieux, à la limite de l'hystérie, accusant Keith d'avoir donné des coups supplémentaires quand il avait vu sur qui il tapait, ce qui n'était pas vrai, avait objecté Keith, tout en songeant que ce l'était peut-être, parce qu'une fois que la chose commence, quel recours y a-t-il ?

Ils marchaient vers les tours à présent, à travers le flux entrecroisé des masses de gens.

Bon, d'accord. Mais si le compte des unités n'aboutit pas toujours à un total de dix ? Tu es dans le métro, mettons, tu es assis, les yeux baissés, disait Keith, tu parcours l'allée d'un regard absent, tu vois une paire de sandales, et tu comptes, tu recomptes, et tu arrives à neuf, ou à onze.

Rumsey emporta la question avec lui jusque dans son alvéole en plein ciel, où il allait reprendre son travail sur des questions moins passionnantes, des histoires d'argent et de propriété, de contrats et de titres.

Le lendemain il dit, Je lui demanderais de m'épouser.

Et plus tard encore, Parce que je comprendrais que je suis guéri, comme à Lourdes, et que je peux maintenant arrêter de compter.

Keith la regardait par-dessus la table.

"Quand est-ce arrivé ?

— Il y a une heure environ.

— Ce chien, dit-il.

— Je sais. C'était de la folie de faire ça.

— Et maintenant, qu'est-ce qui se passe ? Tu vas la rencontrer dans le hall.

— Je ne m'excuse pas. Voilà ce qui se passe."

Il hochait la tête, tout en la regardant.

"Je ne voudrais pas insister, mais en montant l'escalier tout à l'heure.

— Tu n'as pas besoin d'insister.

— On entendait la musique.
— Je suppose que ça veut dire qu'elle a gagné.
— Ni plus fort ni moins fort.
— Elle a gagné."
Il dit : "Peut-être qu'elle est morte. Etendue là.
— Morte ou vivante, elle a gagné.
— Ce chien.
— Je sais. C'était de la folie pure. Je m'entendais parler. On aurait dit que ma voix venait de quelqu'un d'autre.
— J'ai vu cet animal. Le petit redoute cet animal. Il ne le dit pas, mais il a peur.
— Qu'est-ce que c'est ?
— Un terre-neuve.
— La province entière, dit-elle.
— Tu as de la chance.
— De la chance et je suis folle. Marko."
Il dit : "Oublie la musique.
— Il épelle son nom avec un *k*.
— Moi aussi. Oublie la musique, dit-il. Ce n'est ni un message ni une leçon.
— Mais on l'entend toujours.
— On l'entend toujours parce qu'elle est morte. Etendue là. A se faire renifler par le gros chien.
— J'ai besoin de dormir davantage. Voilà de quoi j'ai besoin, dit-elle.
— Gros chien renifle cul femme morte.
— Je me réveille toutes les nuits. La tête qui galope. Impossible de l'arrêter.
— Oublie la musique.
— Des pensées que je ne peux pas identifier, des pensées que je ne peux pas revendiquer comme miennes."
Il la regardait toujours.
"Prends quelque chose. Ta mère s'y connaît. C'est comme ça que les gens dorment.

— Les trucs que les gens prennent, j'en connais un rayon. Ça me rend encore plus dingue. Ça me rend idiote, ça me fait perdre la mémoire.

— Parles-en à ta mère. Elle s'y connaît.

— Impossible d'arrêter ça, impossible de me rendormir. Ça prend une éternité. Puis c'est le matin", dit-elle.

Le chemin de la vérité suivait un lent et sûr déclin. Chaque membre du groupe vivait dans cette certitude. Lianne avait en particulier du mal à accepter le cas de Carmen G., qui semblait être deux femmes en même temps, la première assise là, de moins en moins combative, moins définie, la parole qui commençait à se traîner, et la seconde, plus jeune, plus mince, et follement séduisante, c'est ainsi que Lianne l'imagine, une femme pleine d'entrain dans sa fougueuse jeunesse, drôle et tranchante, qui virevolte sur une piste de danse.

Elle-même porteuse du sceau de son père, menacée par ces plaques et ces filaments cérébraux retors, Lianne ne pouvait que constater, en regardant cette femme, le crime que c'était de perdre une mémoire, une personnalité, une identité, avant le naufrage au fond de la stupeur protéique finale. Il y avait la page qu'elle avait écrite et lisait à voix haute, censément le compte rendu de sa journée de la veille. Ce n'était pas le texte qu'ils s'étaient tous mis d'accord pour écrire. C'était le texte de Carmen.

Je me réveille en me demandant où sont les gens. Je suis seule parce que c'est ça que je suis. Je me dis où sont tous les autres, bien réveillée, pas envie de me lever. C'est comme s'il me fallait mes papiers pour sortir du lit. *Prueba de ingreso. Prueba de dirección. Tarjeta de seguro social.*

Carte d'identité avec photo. Mon père qui racontait des blagues il s'en fichait propres ou sales il faut que les enfants apprennent ces choses. J'ai eu deux maris ils étaient différents sauf les mains. Je regarde encore les mains d'un homme. Parce que quelqu'un a dit c'est la question de quel cerveau travaille aujourd'hui parce que tout le monde a deux cerveaux. Pourquoi est-ce la chose la plus difficile au monde, sortir du lit. J'ai une plante qui a besoin d'eau tout le temps. Je n'avais jamais pensé qu'une plante puisse être du travail.

Benny dit : "Mais où est votre journée ? Vous avez dit que c'était votre journée.

— C'est les premières quoi dix secondes. C'est encore au lit. La prochaine fois ici peut-être que je finirai de sortir du lit. La prochaine fois après ça je me lave les mains. C'est le jour numéro trois. Jour numéro quatre, ma figure."

Benny dit : "On vit si longtemps ? Le temps que vous pissiez, on sera tous décédés."

Puis ce fut son tour. Ils avaient demandé et puis réclamé. Ils avaient tous écrit quelque chose, dit quelque chose sur les avions. Ce fut Omar H. qui remit la question sur le tapis, à sa manière ardente, le bras droit levé.

"Où étiez-vous quand c'est arrivé ?"

Depuis maintenant près de deux ans, depuis le début des séances d'écriture d'histoires de la vie, tandis que son mariage s'éloignait dans le ciel nocturne, elle écoutait ces hommes et ces femmes parler de leur vie, à leur drôle de manière, piquante, directe et émouvante, tissant de la confiance entre eux.

Elle leur devait bien une histoire, non ?

Il y avait Keith dans l'encadrement de la porte. Ça, toujours, ce ne pouvait être que ça, cette apparition désespérée, vivante, son mari. Elle tenta de suivre l'ordre des événements, de le voir tout en parlant, silhouette flottante dans la réfraction de la lumière, Keith en morceaux, par petites touches. Les mots venaient vite. Elle se souvint de choses qu'elle n'avait pas eu conscience d'absorber, du fragment de verre sur sa paupière, comme s'il avait été cousu là, et comment ils avaient marché jusqu'à l'hôpital, à neuf ou dix rues, dans des rues pratiquement désertes, à pas trébuchants et dans le silence le plus total, et du jeune homme qui leur avait porté assistance, un livreur, un gosse, qui aidait à soutenir Keith d'une main et portait une boîte de pizza de l'autre, et elle faillit lui demander comment quelqu'un pouvait commander une pizza par téléphone si les téléphones ne marchaient pas, à ce grand adolescent latino mais peut-être pas, qui tenait le carton par-dessous, en équilibre sur la paume de sa main, loin du corps.

Elle voulait rester concentrée, une chose suivant l'autre dans l'ordre logique des choses. Il y eut des moments où elle s'estompait dans le temps plutôt qu'elle ne parlait, elle retombait dans une étroite ornière du passé récent. Ils étaient cloués sur place, à la regarder. Ils dépendaient d'elle pour percevoir le sens. Ils attendaient les paroles venant du côté de la ligne où elle se trouvait, là où ce qui est solide ne fond pas.

Elle leur parla de son fils. Lorsqu'il était près d'elle, à portée de vue ou de main, en lui-même, en mouvement, la peur s'atténuait. A d'autres moments elle ne pouvait penser à lui sans avoir peur. C'était Justin désincarné, l'enfant de son invention.

Les paquets abandonnés, disait-elle, ou la menace d'un déjeuner dans un sac en papier, ou le métro à l'heure de pointe, en bas, dans des boîtes hermétiques.

Elle ne supportait pas de le regarder dormir. Il devenait un enfant dans un avenir en surplomb. Que savent les enfants ? Ils savent qui ils sont, dit-elle, de diverses manières que nous ne pouvons pas connaître et qu'ils ne peuvent pas nous dire. Il y a des moments figés dans le cours des heures machinales. Elle ne pouvait pas le regarder dormir sans penser à tout ce qui était encore à venir. Elles faisaient partie de son immobilité, ces silhouettes dans un lointain muet, immobiles aux fenêtres.

Veuillez signaler tout comportement suspect ou tout colis abandonné. C'était bien l'expression, non ?

Elle faillit leur parler de la mallette, de son apparition et de sa disparition et de ce que cela signifiait si cela signifiait quelque chose. Elle voulut mais ne le fit pas. Tout leur raconter, tout dire. Elle avait besoin qu'ils écoutent.

Keith avait voulu une plus grosse part du monde qu'il n'y avait de temps ou de moyens pour l'acquérir. Il n'en voulait plus, de ce qu'il avait pu vouloir, en termes de réel, de choses réelles, parce qu'il n'avait jamais vraiment su.

A présent il se demandait s'il était né pour être vieux, s'il était fait pour être vieux et seul, satisfait dans son grand âge solitaire, et si tout le reste, tous les regards furieux et les diatribes qu'il avait lancés contre ces murs, n'était pas simplement destiné à l'amener là où il était maintenant.

C'était son père qui s'insinuait, assis chez lui dans l'Ouest de la Pennsylvanie, en train de lire le journal du matin, de faire sa promenade l'après-midi, un homme façonné dans une douce routine, un veuf, qui mangeait son repas du soir, lucide, bien vivant dans sa vraie peau.

Il y avait un deuxième niveau dans les parties de poker high-low. Terry Cheng était le joueur qui partageait les jetons, la moitié pour chaque vainqueur, high et low. Il faisait ça en quelques secondes, empilant des jetons de différentes couleurs selon leur valeur en deux piles ou deux séries de piles, suivant l'importance du pot. Il ne voulait pas de piles si hautes qu'elles risquaient de s'écrouler. Il ne voulait pas de piles qui se ressemblaient. L'idée était de parvenir à deux parts d'égale valeur monétaire mais jamais de couleurs également réparties, ni rien d'approchant. Il empilait six jetons bleus, quatre dorés, trois rouges et cinq blancs, puis construisait l'équivalent à une vitesse d'enfer, ses doigts volaient, ses mains se croisaient parfois, avec seize blancs, quatre bleus, deux dorés et treize rouges, bâtissant ses piles et puis croisant les bras, le regard plongé dans quelque espace secret, laissant chaque joueur ratisser ses jetons dans un respect muet à la limite de l'effroi.

Nul ne mettait en doute les compétences de sa main, de son œil, de son cerveau. Nul n'essayait de compter en même temps que Terry Cheng et nul n'eut jamais l'idée, même dans les plus ténébreuses profondeurs de la nuit, que Terry Cheng pût se tromper dans ses évaluations, ne fût-ce qu'une fois.

Keith lui parla au téléphone, deux fois, brièvement, après les avions. Puis ils cessèrent de s'appeler. Il ne restait rien à dire, apparemment, sur les autres joueurs du groupe, disparus ou blessés, et il n'y avait pas de sujet général qu'ils pussent évoquer confortablement. Le poker était le seul code qu'ils partageaient, et c'était terminé désormais.

Un temps, ses camarades de classe la surnommèrent Gawk*. Puis ce fut Scrawn**. Il ne s'agissait pas nécessairement de sobriquets haineux, dans la mesure où ils lui étaient surtout venus d'amies, et souvent en connivence avec elle. Elle aimait parodier des poses de mannequin sur un podium, un mannequin tout en coudes, genoux, et appareil dentaire. Lorsqu'elle commença à émerger de son angulosité, il y eut les fois où son père déboula en ville, Jack, tanné par le soleil, qui lui ouvrait grands les bras dès qu'il l'apercevait, créature en mutation magnifique qu'il aimait dans sa chair et son sang, après quoi il repartait. Mais elle se souvenait de ces fois-là, de sa posture et de son sourire, de la forme de sa mâchoire. Il ouvrait grands les bras et elle tombait timidement dans son étreinte. C'était le Jack de toujours, qui la serrait sur son cœur et la secouait, qui la regardait si profondément au fond des yeux qu'il donnait parfois l'impression de chercher à la situer dans son juste contexte.

Elle était brune, contrairement à lui, avec de grands yeux et une grande bouche, et pleine d'une ardeur qui pouvait surprendre, une aptitude à accueillir l'occasion ou l'idée. Sur ce point, le modèle était sa mère.

De sa mère, son père disait volontiers : "C'est une femme sexy sauf qu'elle a le cul trop maigre."

* Godiche. *(N.d.T.)*

** Echalas. *(N.d.T.)*

Lianne adorait cette vulgarité complice, l'invitation à partager sa perspective particulière, la franchise de sa référence et la tournure de l'expression.

C'était la perspective de Jack sur l'architecture qui avait attiré Nina. Ils s'étaient connus sur une petite île au nord-est de la mer Egée, où Jack avait conçu un assemblage de maisonnettes en stuc blanc pour une résidence d'artistes. Dominant une crique, l'ensemble, vu de la mer, était un chef-d'œuvre de géométrie légèrement décalée – la rigueur euclidienne dans l'espace quantique, devait écrire Nina.

C'est là sur un lit de camp, lors d'une seconde visite, que fut conçue Lianne. Jack l'en informa lorsqu'elle avait douze ans et n'en parla plus jusqu'au jour, dix ans plus tard, où il l'appela du New Hampshire pour dire les mêmes choses dans les mêmes termes, le vent du large, le lit de camp, la musique qui s'élevait du bord de mer, vaguement gréco-orientale. C'était quelques minutes ou quelques heures, ce coup de téléphone, avant qu'il ne plonge son regard dans la puissante détonation.

Ils regardaient la télé sans le son.

“Mon père s'est suicidé pour m'épargner de voir le jour où il ne pourrait plus me reconnaître.

— C'est ce que tu crois.

— Oui.

— Alors je le crois aussi, dit-il.

— Le fait qu'il doive un jour ne plus me reconnaître.

— Je le crois, dit-il.

— C'est absolument pour ça qu'il l'a fait.”

Elle était un peu soûle après un verre de vin de trop. Ils regardaient les informations de fin de soirée et il avait envisagé de mettre le son après les publicités mais ne l'avait pas fait et maintenant ils regardaient tandis que dans le silence un envoyé spécial, dans un paysage désolé de l'Afghanistan ou du Pakistan, désignait, par-dessus son épaule, des montagnes dans le lointain.

"Il faut qu'on lui trouve un livre sur les oiseaux.

— Justin, dit-il.

— Ils sont en train d'étudier les oiseaux. Chaque enfant doit choisir un oiseau et c'est celui-là qu'il ou elle étudie. C'est son vertébré à plumes, à lui ou à elle."

Il y avait sur l'écran un film d'archives montrant des avions de chasse qui décollaient du pont d'un porte-avions. Il attendait qu'elle lui demande de mettre le son.

"Il parle d'une crécerelle. Qu'est-ce que ça peut bien être, une crécerelle ?

— C'est un petit faucon. Nous les voyions, perchés sur les fils électriques, sur des kilomètres et des kilomètres, quand nous étions quelque part dans l'Ouest, dans notre autre vie.

— L'autre vie, dit-elle en riant, et elle s'extirpa du siège pour aller dans la salle de bains.

— Reviens avec quelque chose sur toi, dit-il. Que je puisse te regarder l'enlever."

Florence Givens contemplait les matelas, quarante ou cinquante matelas, alignés à une extrémité du neuvième étage. Les gens essayaient la literie, des femmes surtout, rebondissant légèrement, en position assise ou couchée, vérifiant la fermeté ou le moelleux. Elle mit un moment à se rendre compte que Keith était à côté d'elle, et regardait avec elle.

“Pile à l’heure, dit-elle.

— C’est toi qui es à l’heure. Je suis ici depuis des heures, dit-il, à monter et descendre les escalators.”

Ils parcoururent l’allée et elle s’arrêta plusieurs fois pour regarder les étiquettes et les prix et pour tâter de la paume de sa main la souplesse des matelas.

Il dit : “Vas-y, allonge-toi.

— Je ne crois pas que j’en aie envie.

— Sinon comment sauras-tu si c’est le matelas que tu veux ? Regarde. Tout le monde le fait.

— Si tu t’allonges, je m’allongerai.

— Je n’ai pas besoin de matelas, dit-il. C’est toi qui en as besoin.”

Elle déambulait dans l’allée. Il était là, à regarder, et il y avait dix ou onze femmes étendues sur des lits, rebondissant sur des lits, et un homme et une femme qui rebondissaient et roulaient sur eux-mêmes, des gens d’un certain âge, sérieux, qui s’efforçaient de déterminer si les mouvements de l’un dérangeraient le sommeil de l’autre.

Il y avait des femmes indécises, qui rebondissaient une ou deux fois, les pieds dépassant au bout du lit, et il y avait les autres, des femmes qui avaient retiré leur manteau et leurs chaussures, et qui se laissaient tomber en arrière sur le matelas, le Posturepedic ou le Beautyrest, et qui rebondissaient avec abandon, d’abord d’un côté du lit puis de l’autre, et il songeait que c’était un spectacle remarquable à découvrir, le rayon des matelas chez Macy’s, et il regarda de l’autre côté de l’allée, elles rebondissaient là aussi, huit ou neuf femmes encore, un homme, un enfant, qui vérifiaient le confort et la solidité, le soutien du dos, l’impression de mousse.

Florence était là, elle aussi à présent, assise au pied d'un lit, et elle lui sourit et s'abandonna en arrière. Elle rebondit, retomba en arrière, jouant au petit jeu de la timidité au sein de toute cette intimité publique. Non loin de Keith se tenaient deux hommes, et l'un d'eux disait quelque chose à l'autre. La remarque portait sur Florence. Il ne savait pas ce que l'homme avait dit mais peu importait. Il était évident, rien qu'à leur posture et à leur position, qu'elle en était l'objet.

Keith était à dix pas.

Il dit : "Eh, gros con."

L'idée avait été qu'ils se retrouveraient là, déjeunant sur le pouce dans les parages avant de partir chacun de son côté. Il devait récupérer son fils à l'école, elle avait rendez-vous chez le médecin. C'était un rendez-vous galant sans chuchotements ni contact physique, au milieu d'inconnus tombant à la renverse.

Il répéta le mot, plus fort cette fois, et attendit que ses paroles s'enregistrent. C'était intéressant comme l'espace entre eux se modifiait. Ils le regardaient à présent. Celui qui avait fait la remarque était un type corpulent, en anorak luisant qui avait l'air d'un plastique à bulles. Les gens avançaient le long de l'allée en couleurs floues. Les deux hommes le dévisageaient. L'espace était lourd et tendu, et le type dans le plastique à bulles ruminait la situation. Des femmes rebondissaient sur les lits mais Florence avait vu et entendu et, assise au bord du matelas, elle regardait la scène.

Le type écoutait son compagnon mais ne bougeait pas. Keith était content d'être là, à regarder, et puis cela ne lui suffit plus. Il fit quelques pas et frappa le type. Il fit quelques pas, s'arrêta, et lui balança un direct du droit. Il frappa le type à hauteur de la pommette, un coup unique, puis il recula et attendit. Il était en colère à présent. Le contact l'avait déclenchée et il voulait continuer. Il tenait les mains écartées, paumes en l'air, comme pour dire Me voilà, allons-y. Parce que si quiconque disait une parole déplacée à Florence, ou levait la main sur elle, ou l'insultait d'une manière ou d'une autre, Keith était prêt à le tuer. L'homme, qui avait chancelé, heurtant son compagnon, se retourna maintenant et chargea, tête baissée, bras écartés comme un type sur une moto, et c'en était fini des rebondissements tout au long des rangées de lits.

Keith le cueillit d'un nouveau direct du droit, à l'œil cette fois, et le type le souleva de terre, quatre ou cinq centimètres, pendant que Keith lui lançait quelques coups dans les reins, qui pour la plupart se perdirent dans le plastique à bulles. Il y avait des hommes partout à présent, des vendeurs, des vigiles qui accouraient au pas de course, un employé qui avait lâché son chariot. Curieusement, dans la confusion générale qui régnait lorsqu'on les eut séparés, Keith eut la sensation d'une main sur son bras, juste au-dessus du coude, et comprit aussitôt que c'était Florence.

Chaque fois qu'elle voyait la vidéo des avions, elle avançait un doigt vers la touche d'arrêt de la télécommande. Puis elle continuait à regarder. Le second avion surgissant de ce ciel bleu glacier, c'était la séquence qui entrait dans le corps, qui semblait lui courir sous la peau, la course brève qui emportait des vies et des histoires, les leurs et la sienne, toutes, quelque part ailleurs, loin au-delà des tours.

Les ciels qu'elle gardait en mémoire étaient des spectacles, des nuages et des tempêtes en mer, ou cet éclat électrique avant le tonnerre d'été sur la ville, qui appartenaient toujours aux seules énergies météorologiques, à ce qu'il y avait là-bas, masses d'air, vapeur d'eau, mouvements d'ouest. Ceci était différent : un ciel limpide qui portait la terreur humaine dans ces appareils lancés à grande vitesse qui le zébraient, d'abord un, puis l'autre, la force d'intention de ces hommes. Il regardait avec elle. Chaque désespoir qui se découpait sur le ciel, des voix humaines qui invoquaient Dieu, et l'horreur d'imaginer cela, le nom de Dieu sur les lèvres des tueurs et des victimes, d'abord un avion et puis l'autre, celui qui était presque un dessin animé à forme humaine, avec des yeux et des dents qui étincelaient, le deuxième avion, la tour sud.

Il ne regarda qu'une seule fois avec elle. Elle savait qu'elle ne s'était jamais sentie aussi proche de personne, en regardant les avions traverser le ciel. Debout contre le mur il avait tendu le bras vers la chaise et lui avait pris la main. Elle se mordait la lèvre et regardait. Ils allaient tous mourir, passagers et équipages, et des milliers d'autres dans les tours, et elle le ressentit au plus profond de son corps, un temps d'arrêt comme un abîme, et elle songea il est là, incroyablement, dans l'une de ces tours, et maintenant sa main est sur la sienne, dans la pâle lumière, comme pour la consoler de sa mort.

Il dit : “On dirait encore un accident, le premier. Même à cette distance, loin en dehors de là, combien de jours plus tard, je suis là à me dire c'est un accident.

— Parce que c'en est forcément un.

— C'en est forcément un.

— La façon dont la caméra se montre surprise, en quelque sorte.

— Mais seulement le premier.

— Seulement le premier, dit-elle.

— Le deuxième avion, quand le deuxième avion apparaît, dit-il, nous sommes tous un peu plus vieux et un peu plus sages.”

VIII

Les trajets à travers le parc n'avaient rien de rituels d'anticipation. La courbe de la route allait vers l'ouest et il longeait les courts de tennis sans guère penser à la pièce où elle l'attendrait ou à la chambre au bout du couloir. Ils se dispensaient l'un à l'autre un plaisir érotique mais ce n'était pas ce qui le ramenait là-bas. C'était ce qu'ils connaissaient ensemble, dans la dérive intemporelle de la longue spirale descendante, et il y retournait même si ces rencontres contredisaient ce qu'il avait récemment découvert comme étant la vérité de sa vie, qu'il convenait de vivre en homme sérieux et responsable, et pas en l'arrachant par poignées maladroites.

Plus tard elle dirait ce qu'on dit toujours.

"Il faut vraiment que tu partes ?"

Il serait debout, nu à côté du lit.

"Il faudra toujours que je parte.

— Et il faudra toujours que je donne à ton départ une autre signification. Que j'en fasse quelque chose de romantique ou d'excitant. Tout sauf le vide, la solitude. Est-ce que je sais faire ?"

Mais elle n'était pas une contradiction, n'est-ce pas ? Elle n'était pas quelque chose qu'on arrache par bribes, ni le déni d'une vérité qu'il aurait peut-être découverte au fil de ces longues et étranges journées et de ces longues nuits immobiles, en ces jours de l'après.

Voici les jours de l'après. Tout maintenant se mesure en après.

Elle dit, "Est-ce que je sais comment faire une chose à partir d'une autre, sans faire semblant ? Puis-je rester qui je suis, ou faut-il que je devienne tous ces autres gens qui regardent quelqu'un franchir la porte pour s'en aller ? Nous ne sommes pas d'autres gens, si ?"

Mais elle le regarderait d'une façon qui lui donnait l'impression qu'il devait être quelqu'un d'autre, debout là près du lit, prêt à dire ce qu'on dit toujours.

Elles se foudroyaient du regard, assises face à face à une discrète table d'angle. Carol Shoup portait une tunique en soie rayée, violet et blanc, aux allures mauresques ou persanes.

Elle dit : "Etant donné les circonstances, tu t'attendais à quoi ?

— A ce que tu m'appelles et que tu me demandes.

— Mais étant donné les circonstances, comment aurais-je pu ne serait-ce qu'aborder le sujet ?

— Mais tu l'as abordé, dit Lianne.

— Seulement après coup. Je ne pouvais pas te demander de travailler sur un livre pareil. Après ce qui est arrivé à Keith, tout ça, tout. Je ne vois pas comment tu peux même vouloir t'y impliquer. Un livre aussi terriblement plongé là-dedans, qui revient dessus, qui y conduit tout droit. Et un livre tellement exigeant, si incroyablement minutieux.

— Un livre que tu publies.

— Nous sommes obligés.

— Après combien d'années à faire le tour des éditeurs ?

— Nous sommes obligés. Quatre ou cinq ans, dit Carol. Parce qu'il semble prédire ce qui est arrivé.

— Semble prédire.

— Tableaux statistiques, rapports d'entreprises, plans d'architecture, organigrammes terroristes – quoi encore ?

— Un livre que tu publies.

— Mal écrit, mal construit, et j'ajouterais terriblement et profondément ennuyeux. Refusé partout. Devenu une légende parmi les agents et les éditeurs.

— Un livre que tu publies.

— Préparer et corriger ce monstre.

— Qui est l'auteur ?

— Un ingénieur aéronautique en retraite. Nous l'appelons Unaflyer. Pas le genre qui vit dans une cabane reculée en train de fabriquer ses explosifs entouré de ses albums-souvenirs de fac, sauf qu'il y a travaillé comme un dingue pendant quinze ou seize ans."

Il y avait beaucoup d'argent à se faire, en tant que free-lance, dès lors qu'un livre constituait un gros projet. Dans ce cas, il s'agissait aussi d'un projet urgent, de circonstance, du plus grand intérêt pour les médias et même visionnaire, tout au moins dans le descriptif qu'en donnait le catalogue de l'éditeur – un livre qui détaillait un engrenage complexe de forces au niveau mondial qui semblaient converger en un point explosif du temps et de l'espace, dont on pourrait dire qu'il représente le point géométrique situé entre Boston, New York et Washington à une heure matinale de la fin d'un été au XXIe siècle.

“La correction d’un monstre pareil risquerait de te coincer pour des années. Ce ne sont que des données – des faits, des cartes et des programmes.

— Mais il semble prédire.”

Il fallait pour ce livre un rédacteur free-lance, quelqu’un de capable de travailler de longues heures loin de la frénésie programmée des coups de téléphone, des e-mails, des déjeuners et des réunions qui faisaient le quotidien des rédacteurs attachés à la maison – cette frénésie qui constitue leur travail.

“Il contient une sorte de long traité sur le détournement d’avion. Il contient de nombreux documents relatifs à la vulnérabilité de certains aéroports. Il cite Dulles et Logan. Il cite beaucoup de choses qui se sont réellement produites ou sont en train de se produire maintenant. Wall Street, l’Afghanistan, et tout le reste. L’Afghanistan, oui.”

Peu importait à Lianne que le matériau fût dense, enchevêtré et intimidant, ou qu’en fin de compte il ne fût pas prophétique du tout. C’était ce qu’elle voulait. Elle ne savait pas qu’elle le voulait avant que Carol n’ait mentionné le livre en passant, sur le ton de la dérision. Elle croyait avoir été invitée à déjeuner pour discuter d’une mission, et voilà que l’entretien était d’ordre privé. Carol voulait parler de Keith. Le seul livre mentionné par Carol était précisément celui qui n’était pas destiné à Lianne et précisément celui sur lequel Lianne ressentait le besoin de travailler.

“Tu veux un dessert ?

— Non.”

Garde la distance. Regarde les choses cliniquement, sans émotion. C’est ce que Martin lui avait dit. Mesure les éléments. Agence les éléments. Tire la leçon de l’événement. Montre-toi à la hauteur.

Carol voulait parler de Keith, entendre parler de Keith. Elle voulait l'histoire, leur histoire, la réconciliation, par le menu. La tunique qu'elle portait appartenait à un autre type de corps, à une autre couleur de peau, elle s'inspirait d'un vêtement persan ou marocain, remarquait Lianne. Elle n'avait rien d'intéressant à dire à cette femme au sujet de Keith parce qu'il ne s'était rien passé d'intéressant qui ne fût trop intime pour être dit.

"Tu veux un café ?

— J'ai giflé une femme, l'autre jour.

— Pourquoi ?

— Pourquoi est-ce qu'on gifle les gens ?

— Attends. Tu as giflé une femme ?

— Parce qu'ils vous rendent fous. Voilà pourquoi."

Carol la regardait.

"Tu veux un café ?

— Non.

— Tu as récupéré ton mari. Ton fils a un père à plein temps.

— Tu n'y connais rien.

— Manifeste un peu de bonheur, de soulagement, quelque chose. Manifeste quelque chose.

— C'est juste le début. Tu te rends compte de ça ?

— Tu l'as récupéré.

— Tu n'y connais rien", dit-elle.

Le serveur se tenait non loin, dans l'attente que quelqu'un demande l'addition.

"Bon, écoute, dit Carol. S'il se passe quelque chose. Mettons que l'éditrice n'arrive pas à faire face à tout le matériau. Qu'elle ne puisse pas travailler assez vite. Ou qu'elle sente que ce livre fiche en l'air la vie qu'elle s'est escrimée à construire depuis vingt-sept ans. Alors je t'appelle.

— Appelle-moi, dit Lianne. Sinon ne m'appelle pas."

Après ce jour où elle n'avait pu se rappeler où elle habitait, Rosellen S. ne revint plus.

Les autres membres du groupe voulurent écrire à propos d'elle et Lianne les regarda travailler, penchés sur leurs blocs-notes. De temps à autre une tête se relevait, quelqu'un aux prises avec un souvenir ou avec un mot. Tous les mots associés à l'inévitable semblaient encombrer la pièce et elle se surprit à songer aux vieilles photos de passeport accrochées au mur chez sa mère, celles de la collection de Martin, ces visages en train de vous regarder depuis leur distance sépia, perdus dans le temps.

Le cachet circulaire du fonctionnaire sur un coin de la photo.

La situation du titulaire et son port d'embarquement.

Royaume de Bulgarie.

Ambassade du Royaume hachémite.

Türkiye Cumhurieti.

Elle avait commencé à voir les gens devant elle, Omar, Carmen et les autres, dans le même cadre isolé, la signature du titulaire parfois tracée carrément en travers de la photo, une femme en chapeau cloche, une femme assez jeune et d'apparence juive, *Staatsangehörigkeit*, le visage et les yeux revêtant une signification plus profonde qu'une simple traversée de l'océan n'eût pu le justifier, et le visage de femme presque évanoui dans l'ombre, avec le mot *Napoli* qui suit la bordure arrondie du cachet.

Des photos prises anonymement, des images rendues par une machine. Il y avait quelque chose dans la préméditation de ces photographies, leur dessein bureaucratique, la simplicité des poses, qui paradoxalement l'introduisait dans la vie des sujets. Peut-être que ce qu'elle voyait là, c'était l'épreuve humaine se détachant sur la rigueur étatique. Elle voyait des gens qui fuyaient, de là-bas jusqu'ici, la dureté de l'épreuve écrasant les bords du cliché. Empreintes digitales, emblèmes à croix penchées, homme à moustache en guidon de vélo, jeune fille à tresses. Elle se dit qu'elle devait être en train d'inventer un contexte. Elle ne savait rien de ces gens sur les photos. Elle ne connaissait que les photos. L'innocence et la vulnérabilité, c'est là qu'elle les trouvait dans la nature même des vieux passeports, dans la texture profonde du passé, des gens partis en longs voyages, aujourd'hui défunts. Tant de beauté dans les vies effacées, se disait-elle, dans les images, les mots, les langues, les signatures, les renseignements tamponnés.

Cyrillique, grec, chinois.

Dati e connotati del titolare.

Les pays étrangers.

Elle regarde les membres du groupe écrire sur Rosellen S. Une tête se redresse, puis retombe, et ils restent assis là à écrire. Elle sait qu'ils ne regardent pas du fond d'une brume teintée, comme le font les titulaires des passeports, mais qu'ils sont en train de s'y enfoncer. Une autre tête se redresse, puis une autre, et elle s'efforce de ne pas croiser leur regard. Bientôt ils vont tous relever la tête. Pour la première fois depuis le début des séances, elle redoute d'entendre ce qu'ils diront quand ils liront leurs feuillets lignés.

Debout sur le devant de la grande salle, il les regardait travailler. La vingtaine, la trentaine, tous alignés sur les escaliers électroniques et les appareils elliptiques. Il parcourut la première allée avec la sensation d'avoir un lien avec ces hommes et ces femmes, sans bien savoir pourquoi. Ils s'échinaient contre des glissières alourdies de plaques métalliques et pédalaient sur des vélos. Il y avait des rameurs et de tentaculaires machines isométriques. Il s'arrêta à l'entrée de l'espace des poids libres et vit des hommes qui se mesuraient aux élévateurs de poids fixés dans un cadre de sécurité, et qui se redressaient en rugissant. Il vit des femmes devant des punching-balls qui lançaient à toute vitesse des directs et des crochets, et d'autres qui sautillaient sur place, ou qui sautaient à la corde, une jambe repliée, bras croisés.

Un accompagnateur l'escortait, un jeune homme en blanc, de l'équipe du centre de fitness. Keith s'était arrêté au fond d'un vaste espace ouvert, avec des gens partout en mouvement, véritables pompes à sang. Ils pratiquaient la marche rapide ou couraient sur des tapis de course, sans jamais paraître enrégimentés, reliés selon un ordre rigide. C'était un spectacle chargé d'ardeur et d'une sorte de sexualité élémentaire, d'une banalité fondamentale, des femmes arquées en arrière et pliées en avant, tout en coudes et en genoux, avec les veines du cou qui saillaient. Mais il y avait aussi autre chose. C'étaient là les gens qu'il connaissait, à supposer qu'il connût quiconque. Ici, ensemble, c'était ceux aux côtés desquels il pouvait se tenir dans les jours de l'après. Peut-être que c'était ce qu'il ressentait, un esprit, une confiance fraternelle.

Il parcourut l'allée du fond, avec son accompagnateur un peu en retrait, attendant que Keith pose une question. Il examinait les lieux. Il allait devoir se mettre sérieusement à la gym quand il commencerait son boulot, d'ici quelques jours. Ce n'était pas bon de passer huit heures au bureau, dix heures, puis de rentrer tout droit à la maison. Il allait avoir besoin de brûler des choses, de pousser son corps, de rentrer en lui-même, de travailler sa force, son énergie, son agilité, sa santé morale. Il allait avoir besoin d'une discipline rééquilibrante, d'une forme de comportement contrôlé, délibéré, qui l'empêche de rentrer chez lui avec des pieds de plomb et plein de détestation pour tout le monde.

Sa mère s'était rendormie. Lianne voulait rentrer chez elle mais savait qu'elle ne pouvait pas. Cela faisait à peine cinq minutes que Martin avait brusquement pris congé, et elle ne voulait pas que Nina se réveille seule. Elle alla à la cuisine et trouva des fruits et du fromage. Elle était devant l'évier en train de laver une poire quand elle entendit un bruit dans le salon. Elle ferma le robinet et tendit l'oreille puis se rendit dans la pièce. Sa mère lui parlait.

"Je fais des rêves quand je ne dors pas vraiment, pas complètement, et je suis dans un rêve.

— Nous avons besoin de déjeuner, toutes les deux.

— J'ai l'impression que je pourrais ouvrir les yeux et voir ce que je rêve. Ça n'a pas de sens, n'est-ce pas ? Le rêve est moins dans ma tête que tout autour de moi.

— C'est le médicament pour la douleur. Tu en prends trop, sans raison.

— La kinésithérapie est douloureuse.

— Tu ne fais pas ta kinésithérapie.

— Ce qui doit vouloir dire que je ne prends pas le médicament.

— Ce n'est pas drôle. L'un de ces produits que tu prends provoque une accoutumance. Un, si ce n'est plus.

— Où est mon petit-fils ?

— Exactement au même endroit que la dernière fois que tu m'as posé la question. Mais ce n'est pas la question. La question c'est Martin.

— On imagine mal qu'un jour bientôt nous puissions cesser de nous disputer là-dessus.

— Il était très intense.

— Tu ne l'as pas vu quand il est intense. C'est une chose qui dure, ça fait des années, bien avant que nous ne nous connaissions.

— Ce qui fait déjà vingt ans, oui.

— Oui.

— Il était impliqué dans le temps. Toute cette tourmente. Il était actif.

— Des murs nus. L'investisseur en art qui a des murs nus.

— Presque nus. Oui, c'est tout Martin.

— Martin Ridnour.

— Oui.

— Ne m'as-tu pas dit un jour que ce n'était pas son vrai nom ?

— Je n'en suis pas sûre. Peut-être, dit Nina.

— Si je l'ai entendu dire, c'était par toi. Est-ce son véritable nom ?

— Non.

— Je ne pense pas que tu m'aies dit son vrai nom.

— Peut-être que je ne connais pas son vrai nom.

— Vingt ans.

— Pas en continu. Pas même pour des périodes prolongées. Il est quelque part. Je suis autre part.

— Il a une femme.

— Elle est ailleurs elle aussi.

— Vingt ans. A voyager avec lui. A coucher avec lui.

— Pourquoi devrais-je connaître son nom ? Il est Martin. Que saurais-je sur lui si je savais son nom que je ne connais pas maintenant ?

— Tu saurais son nom.

— Il s'appelle Martin.

— Tu saurais son nom. C'est une bonne chose à savoir."

Sa mère désigna de la tête les deux tableaux accrochés au mur nord.

"Quand nous nous sommes rencontrés, je lui ai parlé de Giorgio Morandi. Je lui ai montré un livre. De magnifiques natures mortes. Forme, couleur, profondeur. Il commençait tout juste dans le métier et connaissait à peine le nom de Morandi. Il va à Bologne pour voir en personne l'œuvre, et il revient en disant non, non, non, non. Artiste mineur. Creux, empli de lui-même, bourgeois dans l'âme. Une critique marxiste, voilà ce que m'a récité Martin.

— Vingt ans plus tard.

— Il voit la forme, la couleur, la profondeur, la beauté.

— Une avancée esthétique ?

— Il voit la lumière.

— Ou bien une capitulation, une automystification. Des remarques de propriétaire.

— Il voit la lumière, dit Nina.

— Il voit aussi l'argent. Ce sont des pièces très coûteuses.

— Oui. Et très sérieusement, au début, je me suis demandé comment il se les était procurées. Je le soupçonne d'avoir parfois trafiqué des objets d'art volés.

— Intéressant, l'individu.

— Un jour il m'a dit, j'ai fait certaines choses. Il m'a dit, Cela ne rend pas ma vie plus intéressante que la tienne. On peut en jouer pour lui donner l'air plus intéressant. Mais dans la mémoire, à ces profondeurs-là, m'a-t-il dit, il n'y a pas beaucoup de couleurs vives ni de folle excitation. Beaucoup de grisaille, beaucoup d'attente. On est là, on attend. Il m'a dit, Tout ça est assez neutre, tu sais."

Elle imitait l'accent avec un talent non dénué, peut-être, d'une pointe de malveillance.

"Et qu'est-ce qu'il attendait ?

— L'Histoire, je pense. L'appel de l'action. La visite de la police.

— Quelle branche de la police ?

— Pas celle des œuvres d'art volées. Il y a une chose que je sais. Il a été membre d'une communauté à la fin des années soixante. Kommune un. Ils manifestaient contre l'Etat allemand, l'Etat fasciste. C'est comme ça qu'ils le voyaient. D'abord ils ont jeté des œufs. Et puis ils ont fait exploser des bombes. Après, je ne sais pas trop ce qu'il a fait. Je crois qu'il a passé quelque temps en Italie, à l'époque de la tourmente des Brigades rouges. Mais je ne sais pas.

— Tu ne sais pas.

— Non.

— Vingt ans. A manger et coucher ensemble. Et tu ne sais pas. Tu lui as posé des questions ? Tu as insisté ?

— Il m'a montré une affiche un jour, il y a quelques années, quand je l'ai retrouvé à Berlin. Il a toujours un appartement là-bas. Un avis de recherche. Des terroristes allemands du début des années soixante-dix. Dix-neuf noms avec les visages.

— Dix-neuf.

— Recherchés pour meurtre, attentats, attaques de banques. Il la garde – je ne sais pas pourquoi il la garde. Il ne fait pas partie des personnes figurant sur l'affiche.

— Dix-neuf.

— Des hommes et des femmes. J'ai compté. Il se peut qu'il ait fait partie d'un groupe de soutien ou d'une cellule dormante. Je ne sais pas.

— Tu ne sais pas.

— Il pense que ces gens, ces djihadistes, il pense qu'ils ont quelque chose en commun avec les extrémistes des années soixante et soixante-dix. Il pense qu'ils font partie du schéma classique. Ils ont leurs théoriciens. Ils ont leurs visions de la fraternité mondiale.

— Ça le rend nostalgique ?

— Ne t'imagine pas que je ne vais pas ramener l'histoire sur le tapis.

— Des murs nus. Presque nus, as-tu dit. Est-ce que ça fait partie de la vieille nostalgie ? Des jours et des nuits passés dans la solitude, à se cacher quelque part, en renonçant à toute trace de confort matériel. Peut-être a-t-il tué quelqu'un. Tu lui as posé la question ? Tu as insisté là-dessus ?

— Ecoute, s'il avait fait quelque chose de grave, entraînant la mort ou des blessures, penses-tu qu'il circulerait aujourd'hui en toute liberté ? Il ne se cache plus, si même il l'a fait. Il est ici, là-bas, partout.

— A opérer sous un faux nom", dit Lianne.

Elle était sur le canapé, en face de sa mère, l'observant. Jamais elle n'avait décelé de faiblesse chez Nina, aucune qu'elle pût se rappeler, pas l'ombre d'une fragilité de caractère ou d'une compromission dans son jugement d'une clarté sans faille. Elle s'aperçut qu'elle s'apprêtait à pousser l'avantage et en fut surprise. Elle était prête à saigner l'instant, à charger, déchiqueter.

"Toutes ces années. Sans jamais imposer le sujet. Regarde l'homme qu'il est devenu, l'homme que nous connaissons. N'est-ce pas le genre d'homme qu'ils auraient considéré comme l'ennemi ? Ces hommes et ces femmes sur l'affiche. On va kidnapper le salaud. Lui brûler ses tableaux.

— Oh, je crois qu'il le sait. Tu ne crois pas qu'il le sait ?

— Mais toi, qu'est-ce que tu sais ? Cela n'a-t-il pas un prix, de ne pas savoir ?

— C'est moi qui paie. Tais-toi", dit sa mère.

Elle tira une cigarette du paquet et la tint dressée. Elle semblait penser à une chose lointaine, la mesurant plutôt que se la rappelant, inscrivant le niveau ou le degré de quelque chose, de sa signification.

"Le seul mur qui ne soit pas nu, c'est à Berlin.

— L'avis de recherche.

— L'affiche n'est pas sur le mur. Il la garde dans un placard, roulée dans un tube. Non, c'est une petite photo dans un cadre ordinaire, accrochée au-dessus de son lit. Lui et moi, une simple photo. Nous sommes devant une église dans un village des collines de l'Ombrie. Nous ne nous connaissions que de la veille. Il a demandé à une femme qui passait de nous prendre en photo.

— Pourquoi est-ce que je déteste cette histoire ?

— Il s'appelle Ernst Hechinger. Tu détestes cette histoire parce que tu penses qu'elle me fait honte. Qu'elle me rend complice d'un geste sentimental, pathétique. Une petite photo toute bête. Le seul objet qu'il expose.

— As-tu cherché à déterminer si ce type, Ernst Hechinger, est recherché par la police quelque part en Europe ? Juste pour savoir. Pour cesser de dire Je ne sais pas."

Elle voulait punir sa mère mais pas à cause de Martin ou pas seulement. Cela concernait quelque chose de plus profond et de plus proche, et qui, en fin de compte, convergeait sur un seul point. Voilà à quoi tout se ramenait, ce qu'ils étaient, l'étreinte farouche, pareils à des mains jointes dans la prière maintenant et à jamais.

Nina alluma la cigarette et souffla la fumée. Elle donnait l'impression que c'était un effort de rejeter la fumée. Elle redevenait somnolente. L'un de ses médicaments contenait du phosphate de codéine, et jusqu'à récemment elle ne l'avait utilisé qu'avec prudence. C'était seulement depuis quelques jours, en fait, une semaine ou deux, qu'elle avait cessé de s'astreindre aux exercices recommandés sans pour autant modifier sa prise d'analgésiques. Lianne était convaincue que ce relâchement de sa volonté était une défaite dont Martin était l'épicentre. C'étaient ses dix-neuf hommes à lui, ces détourneurs d'avions, ces djihadistes, ne fût-ce que dans la tête de sa mère.

"A quoi travailles-tu ?

— Un livre sur les alphabets antiques. Toutes les formes qu'a prises l'écriture, tous les matériaux qu'elle a utilisés.

— Cela semble intéressant.

— Intéressant, exigeant, passionnant par moments. Et le dessin aussi. L'écriture picturale. Je t'en donnerai un exemplaire quand il sortira.

— Les idéogrammes, les hiéroglyphes, l'écriture cunéiforme", dit sa mère.

Comme si elle avait rêvé à voix haute.

Elle disait : "Les Sumériens, les Assyriens, et ainsi de suite.

— Je t'en donnerai un exemplaire, promis.

— Merci.

— Je t'en prie", dit Lianne.

Le fromage et les fruits étaient sur un plat dans la cuisine. Elle resta encore un moment assise avec sa mère, puis alla chercher le plat.

Il y avait trois des joueurs qu'on n'appelait que par leur nom de famille, Dockery, Rumsey, Hovanis, et deux par leur prénom, Demetrius et Keith. Terry Cheng était Terry Cheng.

Un soir quelqu'un dit à Rumsey, c'était Dockery le publicitaire facétieux, que tout dans la vie de Rumsey serait différent si une lettre de son nom était différente. Un *a* à la place du *u*. Faisant de lui Ramsey. C'était le *u*, le *rum*, qui avait façonné sa vie et son esprit. La manière dont il marche et parle, sa posture avachie, sa taille et sa corpulence, la lenteur et l'épaisseur qui sourdent de sa personne, la façon dont il glisse sa main sous sa chemise pour se gratter. Tout cela serait différent s'il était né sous le nom de Ramsey.

Ils étaient assis à attendre la réponse de R., le regardant s'attarder dans l'aura de son état ainsi défini.

Elle descendit au sous-sol avec un panier plein de linge. Il y avait là une petite salle grise, humide et confinée, avec un lave-linge et un séchoir et un froid métallique qu'elle sentait dans ses dents.

Elle entendit le séchoir qui tournait et, la porte franchie, aperçut Elena adossée au mur, les bras croisés et une cigarette à la main. Elena ne leva pas les yeux. Pendant un moment elles écoutèrent la charge tourner dans le tambour. Puis

Lianne posa son panier et souleva le couvercle du lave-linge. Le filtre contenait encore les peluches du linge de l'autre femme.

Elle y jeta un coup d'œil, puis le sortit et le tendit à Elena. La femme marqua un temps d'arrêt, puis prit l'objet et le regarda. D'un revers de main et sans changer de position, elle le frappa deux fois contre le bas du mur auquel elle était adossée. Elle le regarda une nouvelle fois, tira une bouffée de sa cigarette, et le tendit à Lianne, qui le prit, le regarda, et le posa sur le séchoir. Elle jeta ses affaires dans la machine par poignées de couleurs sombres, et replaça le filtre sur l'activeur ou l'agitateur ou dieu sait quoi. Elle versa du détergent, sélectionna des touches sur le panneau de commande, régla la programmation et referma le couvercle. Puis elle mit la machine en route.

Mais elle ne quitta pas la pièce. Elle supposait que le programme du séchoir devait être presque terminé, sinon pourquoi la femme aurait-elle été debout là à attendre ? Elle avait dû descendre quelques minutes plus tôt, voir que le séchoir tournait encore, et décider d'attendre plutôt que de remonter et redescendre encore. De l'endroit où elle se trouvait, elle ne voyait pas bien le minuteur et préférait ne pas montrer qu'elle s'y intéressait. Mais elle n'avait aucune intention de quitter la pièce. Elle s'adossa au mur adjacent à celui où était adossée la femme, à moitié affalée. Leurs champs de vision réduits devaient se croiser quelque part vers le milieu de la pièce. Elle gardait le dos bien droit, et sentait le relief du vieux mur grêlé contre ses omoplates.

Le lave-linge commença à gronder, le séchoir tournait et cliquetait quand les boutons de chemise heurtaient le tambour. Il était hors de question qu'elle ne reste pas jusqu'après le départ de l'autre. La question était de savoir ce que l'autre ferait de sa cigarette si elle avait fini de la fumer avant que le séchoir n'ait terminé son cycle. La question était de savoir si leurs regards se croiseraient avant que la femme ne quitte la pièce. La pièce était comme une cellule de moine avec deux roues de prière géantes déroulant une litanie. La question était de savoir si un regard entraînerait des paroles et puis quoi.

C'était un lundi de pluie sur la planète, et elle se dirigeait vers la Résidence Godzilla, où Justin jouait à des jeux vidéo avec les Faux Jumeaux après la sortie de l'école.

Quand il faisait ce temps-là, à l'époque où elle allait en classe, elle écrivait des poèmes. Il y avait une affinité entre la pluie et la poésie. Plus tard, il y aurait une affinité entre la pluie et le sexe. En général ses poèmes traitaient de la pluie, de ce qu'on ressentait, enfermé à regarder les gouttes solitaires glisser le long de la vitre.

Avec le vent, son parapluie ne servait à rien. C'était le genre de pluie oblique qui chasse les gens des rues et qui prête un caractère anonyme au lieu et à l'heure. C'était le temps qu'il faisait partout, l'état d'esprit, un lundi générique, et elle se tenait très près des immeubles, traversait les rues en courant, et sentit le vent la frapper de plein fouet au moment où elle parvenait devant les briques rouges du Godzilla.

Elle but un café sur le pouce avec Isabel, la mère, décolla son fils de l'écran de l'ordinateur et lui enfila de force son blouson. Il voulait rester, ils voulaient qu'il reste. Elle déclara qu'elle était un méchant bien trop réel pour les jeux vidéo.

Katie les suivit à la porte. Elle portait un jean rouge retroussé aux chevilles et des boots en nubuck qui émettaient à chaque pas des éclairs de néon le long de la trépointe. Son frère Robert restait en retrait, un garçon aux yeux sombres qui avait l'air trop timide pour parler, pour manger, ou pour promener un chien.

Le téléphone sonna.

Lianne dit à la fillette : "Tu n'en es plus à guetter le ciel, tout de même ? à scruter le ciel nuit et jour ? Non. Ou bien si ?"

La fillette regarda Justin avec un sourire de connivence sournoise, gardant le silence.

"Il ne veut pas me le dire, insista Lianne. Je n'arrête pas de le lui demander."

Il dit : "Non, tu ne me le demandes pas.

— Mais si je te le demandais, tu ne me le dirais pas."

Les yeux de la petite fille s'éclairèrent. Elle se régalait à la perspective d'une réponse roublarde. Sa mère était au téléphone dans la cuisine.

Lianne dit à la fillette : "Tu attends toujours des nouvelles ? Tu guettes toujours les avions ? Jour et nuit à la fenêtre ? Non. Je suis sûre que non."

Elle se pencha vers la petite, pour chuchoter comme au théâtre : "Tu parles toujours à cette personne ? A l'homme dont certains d'entre nous ne sont pas censés connaître le nom."

Le frère paraissait foudroyé. Il se tenait à cinq mètres derrière Katie, pétrifié, les yeux rivés sur le parquet entre les boots de sa sœur.

"Il est toujours là-haut, à vous faire scruter le ciel ? Cet homme dont nous connaissons peut-être tous le nom même si certains d'entre nous ne sont pas censés le connaître."

Justin la tirait par la manche, ce qui signifiait allez, maintenant on rentre.

“Peut-être, seulement peut-être. Moi je pense qu’il est peut-être temps qu’il disparaisse. L’homme dont nous savons tous le nom.”

Elle avait les deux mains sur le visage de Katie, le berçant, l’emprisonnant, d’une oreille à l’autre. Dans la cuisine, sa mère élevait la voix, un problème de carte de crédit.

“Il est peut-être temps. C’est possible, tu crois ? Peut-être que ça ne t’intéresse plus. Oui ou non ? Peut-être, seulement peut-être, qu’il est temps d’arrêter de scruter le ciel, d’arrêter de parler de l’homme dont je parle. Qu’est-ce que tu en penses ? Oui ou non ?”

La fillette paraissait moins ravie à présent. Elle tenta de lancer un coup d’œil à Justin, à sa gauche, dans le genre qu’est-ce que ça veut dire, mais Lianne accentua un peu la pression et se servit de sa main droite pour boucher la vue, tout en souriant à la fillette comme s’il s’était agi d’un jeu.

Le frère essayait de se rendre invisible. Ils étaient embarrassés et un peu effrayés mais ce ne fut pas pour cette raison qu’elle ôta ses mains du visage de Katie. Elle était prête à partir, telle était la raison, et pendant tout le trajet en ascenseur, du vingt-septième étage jusqu’au hall d’entrée, elle pensa au personnage mythique qui avait dit que les avions reviendraient, l’homme dont ils connaissaient tous le nom. Mais qu’elle avait oublié.

La pluie avait faibli, le vent s’était calmé. Ils marchaient en silence. Elle essayait de se rappeler le nom mais en vain. Son fils ne voulait pas marcher sous le parapluie déployé, il restait quatre pas en arrière. C’était un nom facile, elle le savait, mais les noms faciles étaient ceux qui la tuaient.

IX

Ce jour-là, plus que les autres, elle eut du mal à partir. Elle quitta le centre socioculturel et marcha vers l'ouest, en songeant à un autre jour, qui n'était pas bien éloigné, où les séances de récits devraient prendre fin. Ce temps-là avait sonné pour le groupe et elle ne pensait pas être capable de reconduire l'expérience, de recommencer, six ou sept personnes, les stylos bille et les blocs-notes, et la beauté de l'entreprise, bien sûr, cette façon qu'ils ont de chanter leur vie, mais aussi l'absence de méfiance dont ils font montre vis-à-vis de ce qu'ils savent, l'étrange et brave innocence qui est la leur, et sa propre quête au sujet de son père.

Elle voulait rentrer à pied et elle voulait trouver un message de Carol Shoup en arrivant. Appelle-moi vite. Ce n'était qu'un pressentiment mais elle s'y fiait et savait déjà ce que signifierait le message, que l'éditrice avait renoncé. Elle franchirait la porte, écouterait les trois mots du message et saurait que l'éditrice ne pouvait pas se confronter à l'ouvrage, un texte encombré de détails à ce point obsessionnels qu'il était impossible d'aller plus avant. Elle voulait franchir la porte et apercevoir la touche allumée sur le téléphone. C'est Carol, appelle-moi vite. Un message qui allait bien au-delà de ces cinq mots. C'est ce que Carol aimait dire quand elle téléphonait. Appelle-moi vite. Comme promis, dernier mot stressant, évocateur d'une circonstance heureuse.

Elle marchait au hasard vers l'ouest, dans la 116e Rue, longeant la vitrine du coiffeur pour hommes et le magasin de disques, les étals de fruits et la boulangerie. Elle bifurqua au sud, laissa derrière elle cinq blocs d'immeubles puis, jetant un coup d'œil sur sa droite, vit le haut mur de granit érodé qui soutenait les voies du métro aérien, où circulent dans les deux sens banlieusards et citadins. Elle pensa sur-le-champ à Rosellen S. mais sans savoir pourquoi. Poursuivant son chemin, elle arriva devant un bâtiment qui portait l'inscription Temple de la Délivrance du Greater Highway. Elle s'arrêta un moment, absorbant le nom et s'attardant sur les pilastres sculptés qui surmontaient l'entrée et la croix de pierre dressée au bord du toit. Il y avait un panneau sur la façade, énumérant les activités du temple. Ecole du dimanche, célébration de la gloire divine le dimanche matin, service de la délivrance et étude biblique le vendredi. Elle se tenait là, plongée dans ses réflexions. Elle pensait à sa conversation avec le Dr Apter, à propos du jour où Rosellen n'avait pas pu se rappeler où elle habitait. C'était un événement qui hantait Lianne, ce moment qui coupe le souffle, où les choses s'effondrent, les rues, les noms, le sens de l'orientation et de l'endroit où l'on se trouve, toutes les cases bien établies de la mémoire. Maintenant elle comprenait pourquoi Rosellen semblait constituer une présence dans cette rue. C'était ici, dans ce temple au nom chantant d'Alléluia, qu'elle avait trouvé refuge et assistance.

Elle se replongea dans ses réflexions. Elle pensa au langage que Rosellen avait utilisé lors des dernières séances auxquelles elle avait pu assister, à la manière dont elle avait développé des versions élargies d'un mot singulier, dans toutes les inflexions et conjonctions, une sorte de protection peut-être, une manière de rassemblement contre l'ultime dépouillement, quand même le plus profond gémissement n'exprime peut-être pas la douleur mais lui-même seulement.

On dit au revoir, oui, partir, je pars, je partirai, la dernière fois, partir.

Voilà ce qu'elle parvenait à se rappeler de l'écriture affaiblie des dernières pages de Rosellen.

Il revint à pied par le parc. Les coureurs donnaient une idée de l'éternité, à faire le tour du réservoir, et il s'efforçait de ne pas penser à la dernière demi-heure avec Florence, où il l'avait réduite au silence par ses mots. C'était une autre sorte d'éternité, l'immobilité de son visage et de son corps, en dehors du temps.

Il passa prendre le gamin à l'école puis se dirigea au nord face au vent chargé d'une vague pluie. Il était soulagé d'avoir des sujets de conversation, les devoirs de Justin, ses copains, ses enseignants.

"Où on va ?

— Ta mère a dit qu'elle rentrerait à pied de sa réunion. Nous allons l'intercepter.

— Pour quoi faire ?

— Pour lui faire une surprise. La surprendre. Lui remonter le moral.

— On ne sait pas par où elle va arriver.

— C'est là qu'est le défi. Elle rentre directement ou elle fait un détour, elle marche vite ou elle marche lentement."

Il parlait au vent, pas vraiment à Justin. Il était encore là-bas, avec Florence, intérieurement dédoublé, arrivée et départ, traversées du parc aller et retour, la profonde césure du soi dans la descente au cœur de la fumée, et puis le retour au sein de la famille et de la sécurité, au centre des implications d'un comportement.

Dans une centaine de jours il allait avoir quarante ans. L'âge de son père. Son père avait quarante ans, ses oncles. Ils auraient quarante ans à jamais, fixant sur lui des regards obliques. Comment est-il possible qu'il doive bientôt devenir quelqu'un de clairement défini et distinct, un époux et un père, finalement, occupant une pièce en trois dimensions à la manière de ses parents ?

Il était resté un moment près de la fenêtre, en ces dernières minutes, à regarder le mur opposé, où était accrochée une photo, Florence jeune fille, en robe blanche, avec sa mère et son père.

Justin dit : “On va par où ? Cette rue-ci ou bien celle-là ?”

C'était une photo qu'il avait à peine remarquée jusqu'alors, et la voir dans ce contexte, hors d'atteinte des conséquences de ce qu'il était venu dire, lui serrait le cœur. Ce dont elle avait besoin en lui était ce calme apparent, même si elle ne le comprenait pas. Il savait qu'elle lui était reconnaissante du fait qu'il sût lire en elle les différents niveaux de sa détresse. Il représentait le personnage immobile, qui observe, toujours attentif, parlant peu. Voilà à quoi elle voulait s'accrocher. Mais à présent c'était elle qui ne parlait plus, qui l'observait près de la fenêtre, qui entendait la voix douce lui dire que maintenant c'était fini.

Il faut comprendre, disait-il.

Parce que finalement qu'y avait-il d'autre à dire ? Il regarda la lumière quitter son visage.

C'était cette vieille destruction toujours imminente, inévitablement revenue dans sa vie, une blessure qui pour avoir été prévisible n'en était pas moins douloureuse.

Elle s'attarda encore un moment devant le temple. Il y avait des voix dans la cour d'école un peu plus loin, de l'autre côté du métro aérien. Un agent de la circulation se tenait au coin, bras croisés, la circulation était très réduite dans l'étroit passage à sens unique entre le trottoir et le rempart de blocs de pierre émoussés.

Un train passa comme une flèche.

Elle se dirigea vers le coin de la rue, sachant qu'il n'y aurait pas de message en attente quand elle rentrerait. Trois mots. Appelle-moi vite. Elle avait dit à Carol de ne pas l'appeler sauf si elle était en mesure de lui confier le livre en question. Il n'y avait pas de livre, pas pour elle.

Un train passa, roulant vers le sud cette fois, et elle entendit une voix appeler en espagnol.

Il y avait une rangée d'immeubles, des logements sociaux, situés de ce côté-ci de la voie ferrée, et arrivée au coin elle regarda sur la droite, après la cour d'école, et aperçut la façade protubérante de l'aile d'un bâtiment, des têtes à la fenêtre, une demi-douzaine peut-être, vers les neuvième, dixième, onzième étages, et elle entendit à nouveau la voix, qui appelait, une femme, et elle vit les écoliers, certains, interrompre leurs jeux, regarder en l'air et alentour.

Un professeur s'approchait lentement du grillage, un homme de haute taille, en balançant un sifflet au bout d'une ficelle.

Elle attendit. D'autres voix s'élevaient à présent des logements sociaux, et elle regarda à nouveau dans leur direction, en évaluant leur champ de vision. Ils regardaient les voies ferrées, côté nord, un point situé presque directement au-dessus d'elle. Puis elle vit certains des élèves reculer vers le mur du bâtiment scolaire, et elle comprit qu'ils cherchaient à mieux voir ce côté-ci de la voie ferrée.

Une voiture passa, la radio à fond.

Il mit un moment à apparaître, le haut du corps seulement, un homme, de l'autre côté de la clôture protectrice qui longeait la voie. Ce n'était pas un ouvrier travaillant sur les voies en gilet orange fluorescent. De cela, elle se rendait compte. Elle le voyait à partir du torse et elle entendit les gosses s'interpeller entre eux, tous leurs jeux interrompus.

Il paraissait surgi de nulle part. Il n'y avait pas de station ici, pas de guichet de vente de billets non plus que de quai pour les passagers, et elle n'imaginait pas comment il avait pu accéder à la zone de la voie ferrée. Un Blanc, pensa-t-elle. Chemise blanche, veste sombre.

Cette partie de la rue était calme. Les passants regardaient et poursuivaient leur chemin, quelques-uns s'arrêtaient, brièvement, et d'autres, plus jeunes, s'attardaient. C'étaient les gosses dans la cour d'école qui manifestaient de l'intérêt et aussi les visages en altitude, sur sa droite, il y en avait de plus en plus, qui flottaient aux fenêtres des logements sociaux.

Un Blanc en costume-cravate, pouvait-on voir maintenant qu'il descendait par une petite échelle dans une ouverture de la clôture.

C'est là qu'elle comprit, bien sûr. Elle le regarda descendre sur la plateforme de service qui faisait saillie sur la rue, juste au sud de l'intersection. C'est là qu'elle comprit, même si elle avait déjà pressenti quelque chose avant même d'avoir aperçu la silhouette. Les visages aux fenêtres, là-haut, il y avait quelque chose sur ces visages, un avertissement, comme quand on sait quelque chose avant de le percevoir pour de bon. Ce ne pouvait être que lui.

Il s'arrêta sur la plateforme, à peu près trois étages au-dessus d'elle. Tout était peint en brun rouille, des niveaux supérieurs en granit brut à la barrière qu'il venait de franchir et à la plateforme elle-même, une construction en lattes métalliques aux allures d'escalier de secours, quatre mètres de long et deux de large, accessible en temps normal aux ouvriers qui travaillaient sur la voie ou à ceux du niveau de la rue qui arrivaient à bord du camion du service d'entretien équipé de sa flèche verticale et de sa nacelle ouverte.

Un train passa ; encore en direction du sud. Pourquoi fait-il ça ? pensa-t-elle.

Il pensait, n'écoutait pas. Il commença à écouter tandis qu'ils remontaient la rue, parlant par brèves saccades, et il se rendit compte que le gosse recommençait à s'exprimer par monosyllabes.

Il lui dit, "Ça va comme ça.

— Quoi ?

— Pas mal comme monosyllabes, non ?

— Quoi ?

— Ça va comme ça, dit-il.

— Quoi ? Tu me dis que je ne dis rien.

— Ça c'est ta mère, pas moi.

— Et quand je parle, tu me dis non."

Il faisait des progrès, Justin, il s'arrêtait à peine entre les mots. Une forme de jeu instructive au début mais qui maintenant trimballait autre chose, à force, une obstination solennelle, presque rituelle.

"Ecoute, ça m'est égal. Tu peux parler en inuit si tu veux. Apprends l'inuit. Ils ont un alphabet de monosyllabes au lieu de lettres. Tu peux dire une seule syllabe à la fois. Ça te prendra une minute et demie de dire un seul mot un peu long. Je ne suis pas pressé. Prends tout le temps que tu veux. De longues pauses entre les syllabes. Nous mangerons de la graisse de baleine et tu pourras parler en inuit.

— Je ne crois pas que j'en veux.

— Ce n'est pas de la viande, c'est de la graisse de baleine.

— C'est du gras.

— Dis graisse de baleine.

— C'est comme du gras. C'est du gras."

Un petit futé, ce gosse.

"Ce qui se passe, c'est que ta mère n'aime pas que tu parles comme ça. Ça la contrarie. On va lui faire plaisir. Tu peux comprendre ça. Et même si tu ne peux pas, tu arrêtes ça."

Le ciel instable s'assombrissait. Il commençait à se dire que c'était une mauvaise idée, d'essayer d'aller à sa rencontre. Ils firent une centaine de mètres en direction de l'est, puis poursuivirent vers le nord.

Il se disait quelque chose d'autre, à propos de Lianne. Il se disait qu'il lui parlerait de Florence. C'était la chose à faire. C'était le genre de périlleuse vérité qui mènerait à une compréhension de proportions équilibrées, dans la clarté et la durée, avec un sentiment d'amour et de confiance réciproque. Il le croyait sincèrement. C'était une façon d'en finir avec la duplicité intérieure, l'ombre tendue du non-dit derrière soi.

Il allait lui parler de Florence. Elle dirait qu'elle savait qu'il se passait quelque chose mais qu'étant donné la nature totalement inhabituelle de la relation, avec son point d'origine dans la fumée et les flammes, il ne s'agissait pas d'une offense impardonnable.

Il allait lui parler de Florence. Elle dirait qu'elle pouvait comprendre l'intensité de la relation, étant donné la nature totalement inhabituelle de son origine, dans la fumée et les flammes, et cela la ferait souffrir énormément.

Il allait lui parler de Florence. Elle prendrait un couteau de boucher et elle le tuerait.

Il allait lui parler de Florence. Elle entrerait dans une longue période de repli torturé.

Il allait lui parler de Florence. Elle dirait, Juste quand nous venions de redémarrer notre vie de couple. Elle dirait, Juste quand la terrifiante journée des avions nous a ramenés ensemble. Comment la même terreur pourrait-elle ? Elle dirait, Comment la même terreur pourrait-elle menacer tout ce que nous avons éprouvé l'un pour l'autre, tout ce que j'ai éprouvé ces dernières semaines ?

Il allait lui parler de Florence. Elle dirait, Je veux la rencontrer.

Il allait lui parler de Florence. Son insomnie périodique deviendrait totale, nécessitant un long traitement à base de régime alimentaire, de médicaments et de suivi psychiatrique.

Il allait lui parler de Florence. Elle passerait davantage de temps chez sa mère, avec le petit, s'y attardant jusque tard dans la soirée et réduisant Keith à l'errance dans des pièces vides en rentrant du bureau, comme au fil des amères saisons de son exil.

Il allait lui parler de Florence. Elle voudrait qu'il la convainque que c'était terminé, et il la convaincrait parce que c'était vrai, simplement et pour toujours.

Il allait lui parler de Florence. Elle l'enverrait au diable et appellerait un avocat.

Elle entendit le bruit et regarda sur sa droite. Dans la cour un garçon dribblait avec un ballon de basket. Le bruit n'appartenait pas au moment mais il ne jouait pas, il marchait, emportant le ballon avec lui et le faisant rebondir distraitement tout en se dirigeant vers le grillage, tête levée, les yeux sur la silhouette là-haut.

D'autres suivaient. L'homme était bien en vue à présent, et les élèves venaient du fond de la cour vers le grillage. L'homme avait fixé le harnais de sécurité à la rambarde de la plateforme. Les élèves venaient de partout dans la cour pour voir de plus près ce qui se passait.

Elle recula. Tournant les talons, elle recula à l'intérieur de l'immeuble qui formait le coin. Puis elle chercha des yeux quelqu'un, juste pour échanger un regard. Elle cherchait l'agent de la circulation, qui avait disparu. Elle aurait voulu pouvoir croire qu'il s'agissait d'une sorte d'antique théâtre de rue, d'une représentation de l'absurde qui provoque chez les spectateurs une compréhension comique partagée de ce qu'il y a d'irrationnel dans les grands programmes de l'existence comme dans le petit pas suivant.

C'était trop proche et trop profond, trop personnel. Elle voulait seulement partager un regard, accrocher le regard de quelqu'un, y lire ce qu'elle-même ressentait. Elle ne pensa pas à s'éloigner. Il était juste au-dessus d'elle mais elle ne regardait pas ni ne s'en allait. Elle regardait le professeur de l'autre côté de la rue, son sifflet serré dans une main, ficelle pendante, et l'autre main agrippée aux maillons de la clôture métallique. Elle entendit quelqu'un au-dessus d'elle, dans l'immeuble d'angle, une femme à la fenêtre.

Qui disait : "Qu'est-ce que vous faites ?"

Sa voix provenait d'un point quelque part au-dessus de la plateforme de service. Lianne ne leva pas les yeux. La rue à sa gauche était vide à l'exception d'un homme en haillons qui émergeait de l'arceau sous les voies, une roue de bicyclette à la main. C'est là qu'elle dirigea son regard. Alors, encore, la voix de la femme.

Qui disait : "J'appelle le neuf cent onze."

Lianne essayait de comprendre pourquoi il était là et pas ailleurs. L'endroit était strictement local, des gens aux fenêtres, des gosses dans une cour d'école. L'Homme qui Tombe était réputé apparaître parmi des foules ou en des lieux où des foules pouvaient se former très vite. Ici, il y avait un vieux clochard en train de faire rouler une roue dans la rue. Ici il y avait une femme à une fenêtre, obligée de lui demander qui il était.

D'autres voix maintenant, venues des logements sociaux et de la cour d'école, et elle leva de nouveau les yeux. Il se tenait en équilibre sur la rambarde de la plateforme. Le dessus de la rambarde offrait une large surface plane et il était debout là, en costume bleu, chemise blanche, cravate bleue, chaussures noires. Il surplombait le trottoir, jambes légèrement écartées, les bras loin du corps et pliés aux coudes, asymétriquement, un homme saisi par la peur, et le regard intensément concentré dans l'espace perdu, l'espace mort.

Elle contourna furtivement le coin de l'immeuble. C'était un absurde geste de fuite, qui n'augmentait que de deux ou trois mètres la distance entre eux, sauf que ce n'était pas si ridicule, au cas où il tomberait pour de bon, si le harnais lâchait. Elle le regardait, pressant de l'épaule le mur en brique de l'immeuble. Elle ne pensa pas à faire demi-tour et s'en aller.

Ils attendaient tous. Mais il ne tomba pas. Il demeura en équilibre sur la rambarde pendant une minute entière, puis une deuxième. La voix de la femme était plus forte cette fois.

"Restez pas là."

Des gosses criaient, évidemment ils criaient *"Saute !"* mais seulement deux ou trois, puis ils se turent et des voix s'élevèrent des logements sociaux, des appels désolés dans l'air humide.

C'est alors qu'elle commença à comprendre. De l'art de rue, oui, mais il n'était pas là pour se montrer aux gens situés au niveau de la rue ou aux fenêtres élevées. Il s'était placé là où il était, loin du personnel de la station et des vigiles du métro, pour attendre le passage d'un train allant vers le nord, voilà ce qu'il voulait, un public en mouvement, passant à quelques mètres à peine de sa silhouette dressée là.

Elle pensa aux passagers. Le train jaillirait du tunnel juste au sud d'ici et commencerait à ralentir à l'approche de la station de la 125e Rue, mille mètres plus loin. Le train passerait et lui sauterait. Il y aurait ceux qui le verraient debout là et ceux qui le verraient sauter, tous arrachés à leurs rêveries ou à leurs journaux ou aux propos qu'ils murmuraient dans leurs téléphones portables. Ces gens-là ne l'auraient pas vu attacher son harnais de sécurité. Ils ne verraient que sa chute et sa disparition. Alors, pensa-t-elle, ceux qui étaient déjà au téléphone, et les autres qui prendraient aussitôt les leurs, tous tenteraient de décrire ce qu'ils avaient vu ou ce que les autres autour d'eux avaient vu et seraient à présent en train de leur décrire.

Ils auraient tous une chose à dire, pour l'essentiel. Quelqu'un qui tombait. Un homme qui tombe. Elle se demandait si telle était son intention, de répandre ainsi la nouvelle, par téléphone portable, sur un mode intime, comme dans les tours et les avions détournés.

A moins qu'elle ne rêvât les intentions de cet homme, qu'elle n'inventât, à ce point crucifiée sur le moment qu'elle n'arrivait pas à penser ses propres pensées.

"Je vais te dire ce que j'essaie de faire", dit-il.

Ils longeaient la vitrine d'un supermarché éclaboussée de placards publicitaires. Le gosse avait les mains cachées dans ses manches.

"J'essaie de lire dans ses pensées. Va-t-elle descendre l'une des avenues, la Première, la Deuxième, la Troisième, ou bien flâner un peu, ici et là ?

— Tu l'as déjà dit."

C'était un truc qu'il faisait ces derniers temps, distendre les manches de son pull pour couvrir ses mains. Chaque main était refermée en poing, ce qui lui permettait d'utiliser l'extrémité de ses doigts pour tenir la manche. Parfois le bout d'un pouce dépassait, et une ombre de jointure.

"Je l'ai dit. D'accord. Mais je n'ai pas dit que j'allais arriver à lire ses pensées. Lis-les, toi, et dis-moi ce que tu penses.

— Peut-être qu'elle a changé d'avis. Elle est dans un taxi."

Il avait un sac à dos où il transportait ses livres et ses affaires de classe, ce qui lui laissait les mains libres pour les cacher. C'était un tic que

Keith associait avec les garçons plus âgés, qui cherchent à se singulariser.

"Elle a dit qu'elle rentrerait à pied.

— Peut-être qu'elle a pris le métro.

— Elle ne prend plus le métro. Elle a dit qu'elle rentrerait à pied.

— Qu'est-ce qu'elle a contre le métro ?"

Il prit note de l'humeur de sombre opposition, de la façon dont le gosse traînait les pieds. Ils allaient vers l'ouest à présent, quelque part audessous de la 100e Rue, en s'arrêtant à chaque intersection pour jeter un coup d'œil vers le nord, pour essayer de la repérer parmi les visages et les silhouettes. Justin faisait mine d'avoir abandonné l'affaire, s'éloignant vers le bord du trottoir pour examiner la poussière et les saletés. Il n'appréciait pas d'être privé de ses pouvoirs monosyllabiques.

"Elle n'a rien contre le métro, dit Keith. Peut-être que tu as raison. Peut-être qu'elle a pris le métro."

Il allait lui parler de Florence. Elle le regarderait et elle attendrait. Il lui dirait que ce n'était pas, en vérité, le genre de relation que les gens ont en tête lorsqu'ils utilisent le mot *liaison*. Ce n'était pas une liaison. Il y avait du sexe, oui, mais pas d'histoire d'amour. De l'émotion, oui, mais née de circonstances extérieures échappant à son contrôle. Elle ne dirait rien, elle attendrait. Il lui dirait que le temps passé avec Florence prenait déjà à ses yeux des allures d'aberration – voilà le mot. C'était le genre d'histoire, dirait-il, qui, avec le recul, donne le sentiment d'avoir pénétré dans quelque chose d'irréel, et il était déjà en train de l'éprouver, il en était déjà conscient. Elle s'assiérait et le regarderait. Il mentionnerait la brièveté de la chose, le nombre de fois, facile à établir. Il n'était pas un avocat de plaidoirie mais tout de même il était, techniquement, un avocat, même s'il y croyait lui-même à peine, et il reconnaîtrait ouvertement sa culpabilité, présenterait les faits concernant cette brève relation en y incluant ces circonstances cruciales si souvent et si justement qualifiées d'atténuantes. Elle s'assiérait là où jamais personne ne s'asseyait, sur le siège en acajou adossé au mur entre le bureau et les rayonnages, et il attendrait en la regardant.

"Elle est sûrement déjà rentrée", dit le gosse, en marchant avec un pied dans le caniveau et l'autre sur le trottoir.

Ils passèrent une pharmacie et une agence de voyages. Keith vit quelque chose au-devant d'eux. Il remarqua la démarche d'une femme qui traversait la rue, hésitante, près de l'intersection. Elle parut s'arrêter au milieu de la rue. Un taxi lui boucha un moment la vue mais il savait déjà que quelque chose n'allait pas. Il se pencha et donna une petite tape sur le bras de son fils, sans quitter des yeux la silhouette au loin. Le temps qu'elle parvienne au coin de la rue du côté où ils étaient, ils couraient tous deux vers elle.

Elle entendit le train approcher sur la voie et regarda l'homme s'y préparer en contractant son corps. Le bruit était un roulement sourd où s'élevait une sorte de motif alterné, discret, discontinu, comme une pulsation arithmétique, et elle faillit se mettre à compter les dixièmes de seconde au fur et à mesure qu'il s'accentuait.

L'homme fixait sans le voir l'immeuble en brique du coin de la rue. Son visage avait quelque chose d'inexpressif, mais de profond, une sorte de regard égaré. Car que faisait-il, finalement ? Car le savait-il, finalement ? Elle songea que l'espace nu qu'il contemplait devait lui appartenir en propre, qu'il ne contenait pas de sombre vision d'autres gens en train de tomber. Mais pourquoi donc restait-elle là à le regarder ? Parce qu'elle voyait son mari quelque part à proximité, qu'elle voyait son ami, celui qu'elle avait rencontré, ou l'autre, peut-être, à moins qu'elle n'eût inventé qu'elle le voyait, très haut, dans l'encadrement d'une fenêtre d'où sortait de la fumée. Parce qu'elle se sentait contrainte, ou seulement impuissante, agrippée à la bandoulière de son sac.

Le train arrive dans un grand vacarme et il tourne la tête pour plonger les yeux dedans (dans sa mort par le feu) puis il rejette la tête en arrière et saute.

Saute ou tombe. Il bascule en avant, le corps rigide, et tombe de toute sa hauteur, la tête la première, suscitant un frémissement d'effroi dans la cour d'école, accompagné de cris de frayeur isolés qui ne sont que partiellement étouffés par le rugissement du train qui passe.

Elle sentit son corps se déliter. Mais la chute n'était pas le pire. Le sursaut final de la chute le laissa à l'envers, retenu par le harnais, à sept ou huit mètres au-dessus de la chaussée. Le sursaut, à mi-chemin, le corps qui rebondit, qui se ramasse, et l'immobilité à présent, les bras le long du corps, et une jambe pliée au genou. La pose stylisée du corps et des membres, sa signature en quelque sorte, avait quelque chose d'affreux. Mais pires que tout étaient l'immobilité même et sa proximité par rapport à l'homme, sa position ici, sans personne qui fût plus proche de lui qu'elle ne l'était. Elle aurait pu lui parler mais la chose relevait d'un plan d'existence autre et inaccessible. Il restait immobile, tandis que le train poursuivait sa route dans le brouillard de son esprit et l'écho du déluge sonore qui pleuvait tout autour de l'homme, le sang à la tête, et détourné d'elle.

Elle regarda en l'air et ne vit plus signe de la femme à la fenêtre. Elle se mit alors à marcher, longeant le bâtiment, tête baissée, tâtant de la main son chemin le long du mur rugueux. Elle avait les yeux ouverts mais se guidait de la main et puis, dès qu'elle eut dépassé la silhouette pendante, elle obliqua vers le milieu de la rue en accélérant le pas.

Presque aussitôt elle tomba sur le clochard, le vieillard en haillons, et il avait les yeux fixés audelà d'elle sur la silhouette suspendue en l'air, la tête en bas. Il semblait lui-même être dans une pose, amarré à ce lieu depuis plus d'une moitié de vie, une main desséchée cramponnée à sa roue de vélo. Son visage révélait un intense rétrécissement de la pensée et du possible. Il était en train de voir quelque chose de délibérément différent de ce qu'il rencontrait pas après pas dans le cours ordinaire des heures. Il lui fallait apprendre à le voir correctement, il lui fallait trouver dans le monde une fissure où la chose pût s'intégrer.

Il ne la vit pas lorsqu'elle passa. Elle ne marchait pas encore assez vite, dépassant de nouveau des grands ensembles ou les mêmes en développement constant, une rue après l'autre. Elle gardait la tête baissée, percevant les choses comme de brefs miroitements, un rouleau de barbelés tranchants sur une palissade basse ou une voiture de police roulant vers le nord, la façon dont elle avait approché, un gyrophare blanc-bleu avec des visages. Cela lui fit penser à lui, là-bas, suspendu, le corps en position, et elle ne put penser plus loin.

Elle s'aperçut qu'elle courait à présent, son sac en bandoulière ballottant contre sa hanche. Elle gardait les choses qu'ils écrivaient, les membres du groupe en phase initiale, enfouissant les feuillets dans son sac pour ensuite les perforer avant de les ranger chez elle dans un classeur à anneaux. La rue était presque vide, un entrepôt sur sa gauche. Elle pensa à la voiture de police en train de s'arrêter au-dessous de l'homme tombé. Elle courait à bonne allure, avec les pages du classeur et les noms des membres du groupe qui lui défilaient dans la tête, prénom et première lettre du nom, c'était ainsi qu'elle les connaissait et les voyait, et le sac en bandoulière qui battait la mesure, cognant contre sa hanche, lui donnant un tempo, un rythme à tenir. Elle courait à la hauteur des trains à présent et puis au-dessus d'eux, courant dans la montée vers un ciel pommelé de hauts nuages agglutinés qui saignaient et coulaient dans ceux du bas.

Elle se disait, Mort de sa propre main.

Elle cessa alors de courir et se pencha en avant, le souffle lourd. Elle plongeait les yeux dans l'asphalte. Quand elle courait le matin, elle parcourait de longues distances sans jamais se sentir à ce point épuisée et vidée. Elle était pliée en deux comme si elle était deux personnes : l'une qui avait couru et l'autre qui ne savait pas pourquoi. Elle attendit d'avoir retrouvé son souffle puis se redressa. Deux filles assises sur les marches d'une bâtisse délabrée l'observaient. Elle marcha lentement jusqu'au haut de la rue puis s'arrêta encore, s'attardant dans le voisinage des trains qui surgissaient d'un trou pour s'engouffrer dans un autre, quelque part au sud de la 100e Rue.

Elle allait rapporter les feuillets chez elle, les choses qu'ils avaient écrites, les ranger avec les pages précédentes, perforées et retenues par les anneaux, dont il y avait maintenant plusieurs centaines. Mais d'abord elle écouterait les messages téléphoniques.

Elle traversa au feu vert et se trouvait à l'angle bondé de la rue quand elle les vit qui couraient vers elle. Ils rayonnaient, sans masques, dépassant les gens calés au fond d'un anonymat routinier. Le ciel paraissait si proche. Ils rayonnaient de vie intense, voilà pourquoi ils couraient, et elle leva le bras pour qu'ils la repèrent dans la masse des visages, trente-six jours après les avions.

NOKOMIS

Il avait sa carte Visa, son numéro de la carte fréquence de la compagnie aérienne. Il avait le Mitsubishi à sa disposition. Il avait perdu vingt-deux kilos et les avait convertis en livres, en multipliant par 2,2046. Il faisait une chaleur parfois torride sur la côte du golfe du Mexique et Hammad aimait ça. Ils louaient une petite maison en stuc à West Laurel Road et Amir refusa une offre de télé câblée gratuite. La maison était rose. Ils se réunirent un jour autour d'une table et firent le serment d'accepter leur devoir, qui était pour chacun d'eux, scellé dans le sang, de tuer des Américains.

Hammad poussait un chariot dans le supermarché. Il était invisible pour ces gens et ils devenaient invisibles pour lui. Il regardait quelquefois les femmes, oui, la fille de la caisse qui s'appelait Meg ou Peg. Il savait des choses dont, dût-elle vivre cent vies, elle n'aurait pu avoir l'ombre d'une idée. Dans le flot de lumière il voyait une fine trace de duvet doux et délicat sur son avant-bras et une fois il avait dit quelque chose qui l'avait fait sourire.

Sa formation de pilotage ne se passait pas bien. Secoué dans le simulateur, il s'efforçait d'associer ses réactions aux situations. Les autres, la plupart, y réussissaient mieux. Il y avait toujours

Amir bien sûr. Amir pilotait de petits avions et faisait des heures supplémentaires d'entraînement sur les simulateurs de Boeing 767. Il payait quelquefois en espèces, avec des virements effectués par Dubaï. Ils pensaient que l'Etat lirait leurs e-mails cryptés. L'Etat contrôlerait les bases de données des compagnies aériennes et toutes les transactions impliquant certaines sommes. Amir récusait l'hypothèse. Il recevait certains virements à son nom complet dans une banque de Floride, Mohamed Atta, au motif qu'au fond il n'était personne et de nulle part.

Ils avaient le visage rasé de près, à présent. Ils portaient des t-shirts et des pantalons en toile. Hammad poussait son chariot dans l'allée vers la caisse, et quand il lui adressa la parole elle sourit, mais elle ne le vit pas. Le principe est de passer inaperçu.

Il connaissait son poids en livres mais ne l'annonça pas aux autres ni ne s'en glorifia. Il convertissait en pieds les mètres, en multipliant par 3,28. Ils étaient deux ou trois dans la maison et d'autres allaient et venaient mais ni à la même fréquence ni avec la brûlante ferveur de Marienstrasse. Ils étaient au-delà maintenant, dans la détermination des derniers préparatifs. Seul Amir brûlait à présent. Amir était électrique, les yeux ruisselants de feu.

La perte de poids était survenue en Afghanistan, dans un camp d'entraînement, où Hammad avait commencé à comprendre que la mort est plus forte que la vie. C'est là que le paysage le consuma, des cascades gelées dans l'espace, et un ciel qui n'en finissait pas. Tout n'était qu'islam, les rivières et les torrents. Ramasse une pierre et tiens-la dans ta main, et c'est l'islam. Le nom de Dieu sur toutes les lèvres d'un bout à l'autre du pays. Il n'avait jamais rien ressenti de tel dans toute sa vie. Il portait un gilet conçu pour porter les bombes et savait qu'il était un homme maintenant, enfin, prêt à mettre un terme à sa distance d'avec Dieu.

Il conduisait le Mitsubishi dans d'abruptes rues somnolentes. Un jour, chose étrange, il vit une voiture avec six ou sept personnes tassées à l'intérieur, qui riaient et fumaient, et ils étaient jeunes, peut-être des étudiants, garçons et filles. Jusqu'à quel point lui aurait-il été facile de sortir de sa voiture pour monter dans la leur ? Ouvrir la portière en marche et traverser la rue jusqu'à l'autre voiture, en lévitation, et ouvrir la portière de l'autre voiture pour y monter ?

Amir passa de l'anglais à l'arabe pour citer :

Jamais nous n'avons détruit une nation dont l'existence n'avait pas de terme assigné au préalable.

Cette vie entière, ce monde de pelouses à arroser et de quincaillerie empilée sur d'interminables rayonnages était une totale illusion, à jamais. Dans le camp sur la plaine venteuse, on avait fait d'eux des hommes. Ils manipulaient des armes et des explosifs. Ils étaient instruits au niveau le plus haut du djihad, qui enjoint de faire couler le sang, le leur et celui des autres. Les gens arrosent les pelouses et se nourrissent de fast-food. Hammad se faisait parfois livrer des plats, c'était indéniable. Chaque jour, cinq fois, il priait, quelquefois moins, quelquefois pas du tout. Il regardait la télé dans un bar près de l'école de pilotage et il aimait s'imaginer apparaissant sur l'écran, silhouette filmée en vidéo franchissant le portail détecteur en route vers l'avion.

Mais jamais ils n'iraient jusque-là, c'était sûr. L'Etat avait des listes de surveillance et des agents en civil. L'Etat savait lire les signaux qui s'envolent de votre téléphone portable vers des tours à micro-ondes et des satellites en orbite avant d'entrer dans le portable d'un type en voiture sur une route déserte du Yémen. Amir avait cessé de parler des juifs et des croisés. Tout n'était que tactique, à présent, horaires d'avions et pleins de carburant, déplacements d'hommes d'un lieu à un autre, en temps et lieu.

Ces gens qui couraient dans le parc, la domination planétaire. Ces vieillards assis sur des chaises longues, corps blancs veinés de bleu et casquettes de baseball, ils contrôlent notre monde. Il se demande s'il leur arrive d'y penser. Il se demande s'ils le voient, debout là, rasé de près, en chaussures de sport.

Le moment était venu de rompre tout contact avec sa mère et son père. Il leur écrivit une lettre pour leur dire qu'il allait voyager quelque temps. Il travaillait pour une société d'engineering, écrivit-il, et allait bientôt avoir une promotion. Ils lui manquaient, écrivit-il, puis il déchira la lettre et laissa les morceaux partir à la dérive dans un ressac de souvenirs.

Dans le camp, on lui donna un long poignard qui avait appartenu à un prince saoudien. Un vieil homme fit agenouiller un chameau à coups de badine, tira sur la bride et lui renversa la tête en l'air, et Hammad trancha la gorge du chameau. Il leur échappa un râle, au chameau et à lui, lorsqu'il l'égorgea, un braiment, et il ressentit une joie profonde de guerrier, en reculant pour regarder la bête s'écrouler. Il demeura ainsi, Hammad, les bras écartés, puis il baisa le poignard ensanglanté et le brandit vers ceux qui regardaient, les hommes en longue robe et en turban, en signe de respect et de gratitude.

Un homme de passage ignorait le nom de la ville où ils se trouvaient, à proximité d'une autre ville nommée Venice. Il avait oublié le nom ou ne l'avait jamais su. Hammad pensait que c'était sans importance. Nokomis. Quelle importance ? Laissons ces choses se dissoudre en poussière. Laissons ces choses derrière nous même si nous dormons et mangeons ici. Poussière que tout cela. Voitures, maisons, individus. Simples atomes de poussière dans le feu et la lumière des jours à venir.

Ils passaient, un ou deux, de temps en temps, et parfois ils lui parlaient des femmes qu'ils avaient payées pour le sexe, d'accord, mais il ne voulait pas en entendre parler. Cette chose-là, de toutes celles qu'il avait faites, il voulait la réussir. Ils étaient là au cœur même de l'incroyance, du système sanguin du *kufr*. Ils ressentaient les choses ensemble, lui et ses frères. Ils ressentaient l'appel du danger et l'isolement. Ils ressentaient l'attraction magnétique du projet. Le projet les soudait plus étroitement que jamais. Le projet refermait le monde jusqu'à la plus infime ligne de vision, où tout converge vers un seul point. Il y avait la revendication du destin, le sentiment que leur naissance n'avait pas d'autre justification. Il y avait la revendication d'avoir été élu, là-bas, dans le vent et le ciel de l'islam. Il y avait l'affirmation que la mort, la revendication la plus haute, était le plus haut degré du djihad.

Mais un homme doit-il se tuer afin d'accomplir quelque chose dans le monde ?

Ils avaient des logiciels de simulation. Ils pratiquaient des jeux de simulation de vol sur leur ordinateur. Le pilote automatique détecte les déviations du parcours. Le pare-brise est à l'épreuve des oiseaux. Il disposait d'une grande affiche reproduisant le tableau de bord d'un Boeing 767. Il l'étudiait dans sa chambre, apprenant par cœur l'emplacement des leviers et des tableaux. Les autres disaient que cette affiche, c'était sa femme. Il convertissait les litres en gallons, les grammes en onces. Assis dans le fauteuil du barbier, il regardait fixement dans le miroir. Il n'était pas là, ce n'était pas lui.

Il cessa pratiquement de changer de vêtements. Il porta tous les jours la même chemise et le même pantalon jusqu'à la semaine suivante, et les mêmes sous-vêtements. Il se rasa mais il ne s'habillait ni ne se déshabillait quasiment plus. Les autres émettaient des remarques acerbes. Il lui arriva un jour d'apporter ses vêtements à la laverie, habillé de ceux de quelqu'un d'autre. Il garda les vêtements en question une semaine et insista pour que l'autre porte les siens maintenant qu'ils étaient propres, bien que propre ou sale n'eût aucune importance.

Des hommes et des femmes aux yeux fourbes riant à la télé, pendant que leurs forces militaires profanaient la Terre des Deux Lieux Saints.

Amir avait fait le pèlerinage à La Mecque. Il était un hadji, remplissant ses devoirs, disant la prière funèbre, *salat al-janaza*, proclamant sa solidarité avec ceux qui avaient péri lors du voyage. Hammad n'éprouvait le sentiment d'aucune privation. Ils allaient bientôt remplir un autre type de devoir, non écrit, eux tous, martyrs, ensemble.

Mais un homme doit-il se tuer afin de compter pour quelque chose, d'être quelqu'un, de trouver la voie ?

Hammad réfléchissait à ces choses. Il se rappelait ce qu'avait dit Amir. Amir pensait clair et droit, l'homme était sans détour.

Amir lui parla en face.

La fin de notre vie est prédéterminée. Nous sommes emportés vers ce jour depuis l'instant où nous naissons. Il n'est pas de loi sacrée à l'encontre de ce que nous allons faire. Ce n'est pas un suicide, dans aucune acception ni interprétation du terme. C'est seulement une chose écrite depuis longtemps. Nous sommes en train de trouver la voie déjà choisie pour nous.

Si vous regardiez Amir, vous voyiez une vie trop intense pour durer une minute de plus, peut-être parce qu'il n'a jamais baisé une femme.

Mais qu'en est-il du reste ? songeait Hammad. Peu importe l'homme qui met fin à sa propre vie dans cette situation. Mais qu'en est-il des autres vies qu'il sacrifie avec la sienne ?

Il n'avait guère envie d'aborder le sujet avec Amir mais il finit par le faire, un jour qu'ils étaient seuls tous les deux dans la maison.

Mais qu'en est-il des autres, de ceux qui vont mourir ?

Amir s'impatienta. Il déclara qu'ils en avaient déjà parlé quand ils étaient à Hambourg, dans la mosquée et dans l'appartement.

Qu'en est-il des autres ?

Il n'y a pas d'autres, dit Amir simplement. Les autres n'existent que dans la mesure où ils remplissent le rôle que nous leur avons assigné. Telle est leur fonction en tant qu'autres. Ceux qui vont mourir n'auront aucun droit sur leur vie sinon à travers l'utilité de leur mort.

Hammad fut impressionné par ces paroles. Elles sonnaient comme de la philosophie.

Le bruissement de deux femmes dans un parc le soir, jupes longues, l'une d'elles nu-pieds. Hammad était seul, assis sur un banc, à regarder, puis il se leva et les suivit. Ce genre de chose arrive, un homme est arraché de sa peau mais voilà que son corps reprend l'avantage. Il se contenta de les suivre jusqu'à la rue où se terminait le parc et les regarda disparaître, rapides comme des pages qu'on tourne.

Le pare-brise est à l'épreuve des oiseaux. L'aileron est un volet mobile.

Il prie et il dort, il prie et il mange. De la bouffe sans imagination, souvent avalée en silence. Le projet façonne chacune de ses inspirations. Elle est là, la vérité à laquelle il a toujours aspiré sans savoir comment la nommer ni où la chercher. Ils sont ensemble. Il n'est pas de mot qu'ils puissent dire, lui et les autres, qui ne ramène à cela.

L'un d'eux épluche une orange et commence à l'ouvrir.

Tu penses trop, Hammad.

Des hommes ont passé des années à organiser en secret ce travail.

Oui, d'accord.

J'ai vu ces hommes moi-même quand nous y étions, qui traversaient le camp.

Bon. Mais le temps de la réflexion est révolu.

Et de la discussion avec.

Bon. Maintenant on le fait.

Il tend un quartier d'orange à Hammad, qui est au volant.

Mon père, dit l'autre homme, il serait prêt à mourir trois cents fois pour savoir ce que nous faisons.

Nous ne mourons qu'une fois.

Nous mourons une fois, en très grand.

Hammad pense à l'extase des explosifs pressés contre son torse.

Mais n'oublie pas que la CIA va nous arrêter d'une minute à l'autre, dit l'autre homme.

Il dit ça et il éclate de rire. Peut-être que ce n'est plus vrai maintenant. Peut-être est-ce une histoire qu'ils se sont racontée tant de fois qu'ils ont cessé d'y croire. Ou peut-être n'y ont-ils pas cru alors et commencent-ils seulement à y croire, maintenant que l'heure approche. Hammad ne voit là rien de drôle, d'une manière ou d'une autre.

Les gens qu'il regardait, ils devraient avoir honte de leur attachement à la vie, à promener leurs chiens. Penses-y, les chiens qui grattent la terre, le sifflement des tourniquets d'arrosage. Lorsqu'il voyait approcher un orage en provenance du golfe, il avait envie d'ouvrir les bras tout grands et d'avancer droit dedans. Ces gens, dans ce qu'ils trouvent si précieux, nous ne voyons qu'un espace vide. Il ne pensait pas à l'objectif de leur mission. Tout ce qu'il voyait, c'était le choc et la mort. Il n'y a pas d'objectif, c'est ça l'objectif.

Lorsqu'il parcourt l'allée éclatante de lumière, il pense mille fois en l'espace d'une seconde à ce qui va arriver. Rasé de près, filmé en vidéo, il franchit le détecteur de métaux. La fille à la caisse fait rouler la boîte de soupe devant le scanner et il cherche quelque chose de drôle à dire, en essayant d'abord la phrase intérieurement pour bien placer les mots dans l'ordre.

Il regardait par-delà les huttes en briques de terre, vers les montagnes. En gilet conçu pour transporter les bombes et masque noir. Nous sommes prêts à mourir, pas eux. C'est notre force, d'aimer la mort, de ressentir l'appel du martyre en armes. Il se tenait avec les autres dans l'ancienne mine de cuivre russe, devenue un camp afghan, le leur, et ils entendaient la voix amplifiée appeler à travers la plaine.

Le gilet était en nylon bleu avec des lanières entrecroisées. Il y avait des bombes chargées d'explosifs branchées sur la ceinture. Il avait des pains de plastic sur le haut de la poitrine. Ce n'était pas la méthode que ses frères et lui emploieraient un jour mais c'était la même vision du paradis et de l'enfer, de la vengeance et de la dévastation.

Debout là ils écoutaient la voix enregistrée, qui les appelait à la prière.

A présent il est assis dans le fauteuil du barbier, la cape rayée sur les épaules. Le barbier est un homme frêle qui n'a pas grand-chose à dire. La radio donne les nouvelles du temps, du sport, de la circulation. Hammad n'écoute pas. Il est à nouveau plongé dans ses pensées, le regard au-delà du visage dans le miroir, qui n'est pas le sien, et il attend le jour à venir, ciel limpide, vent léger, quand il ne restera rien d'autre à quoi penser.

Troisième partie

DAVID JANIAK

X

Ils firent tout le trajet à pied, vingt rues en direction du nord avant de prendre de biais pour redescendre au sud vers Union Square, cinq ou six kilomètres dans une chaleur humide, avec la police en tenue antiémeute et casquée, des petits enfants sur les épaules de leurs parents. Ils marchaient avec cinq cent mille autres, un grouillement coloré de gens alignés d'un trottoir à l'autre, pancartes et banderoles, t-shirts imprimés, cercueils drapés de noir, une marche contre la guerre, le président, les politiques à l'œuvre.

Elle se sentait loin de l'événement alors même qu'il la talonnait. Des hélicoptères de police vrombissaient au-dessus d'eux et des hommes alignés scandaient des hurlements à l'adresse des manifestants. Justin prit un tract des mains d'une femme portant un foulard noir. Elle avait les mains pommelées de henné et regardait au-delà d'eux, évitant de croiser le regard de quiconque. Les gens s'arrêtèrent pour regarder un char de papier mâché en flammes, et la foule s'épaississait, se resserrant sur elle-même. Elle essaya de prendre son fils par la main mais ce temps était révolu à présent. Il avait dix ans, il avait soif, et il se mit à se faufiler vers l'autre côté de la rue, où un type vendait des boissons sur des caisses empilées. Il y avait une douzaine de policiers à proximité, postés devant des filets rouges drapés sous un échafaudage de construction. C'est là qu'ils allaient détenir les plus engagés et les éléments incontrôlables.

Un homme s'approcha d'elle, se détachant de la foule avec désinvolture, un homme noir, la main sur le cœur, et il dit : “Ici c'est l'anniversaire de Charlie Parker.”

Il la regardait presque mais pas vraiment puis il poursuivit son chemin et dit la même chose à un homme qui arborait un t-shirt marqué d'un symbole de paix, et à l'intonation réprobatrice de sa voix elle comprit que tous ces gens, ce demi-million de personnes en chaussures de sport et chapeau de soleil, avec tout leur attirail de symboles, n'étaient que de pauvres nazes, pour se rassembler dans cette touffeur humide quelle qu'en fût la raison, quand ils auraient tellement mieux fait d'envahir ces rues, en quantités exactement semblables, afin de présenter leurs respects à Charlie Parker à l'occasion de son anniversaire.

Si son père, si Jack avait été là, il aurait probablement été de cet avis. Et, oui, elle ressentait une séparation, une distance. Cette foule ne lui renvoyait pas un sentiment d'appartenance. Elle était là pour son fils, pour lui permettre de défiler au cœur de la dissidence, pour qu'il voie et éprouve la nature de l'opposition à la guerre et à la malgouvernance. Elle-même avait envie d'être loin de tout. Les trois dernières années, depuis ce jour de septembre, tout, de la vie, était devenu public. La collectivité frappée élève la voix et dans la nuit l'esprit solitaire se voit façonné par le tollé. Elle se satisfaisait du petit projet qu'elle avait récemment élaboré, organiser les jours, s'appliquer aux détails, faire profil bas, se tenir en retrait. En finir avec la rage et les pressentiments. En finir avec les nuits qui s'étalent à travers les chaînes interminables d'un enfer insomniaque. Elle défilait à l'écart des slogans brandis et des cercueils en carton, de la police montée, des anarchistes qui lançaient des bouteilles. Simple chorégraphie que tout cela, dont la mise en pièces serait l'affaire de quelques secondes.

L'enfant se retourna et regarda l'homme se faufiler dans la foule, en faisant halte ici et là pour énoncer sa proclamation.

“Un musicien de jazz, lui dit-elle. Charlie Parker. Mort il y a quarante ou cinquante ans. En rentrant, je chercherai quelques vieux disques. Des vinyles. Charlie Parker. Dit Bird. Ne me demande pas pourquoi. Avant que tu demandes, ne demande pas parce que je n'en sais rien. Je trouverai les disques et nous les écouterons. Mais rappelle-le-moi. Parce que j'oublie.”

L'enfant prit d'autres prospectus. Des gens postés en bordure du défilé tendaient des tracts pour la paix, la justice, l'inscription sur les listes électorales, des mouvements pour la vérité tendance parano. Il examinait les textes tout en marchant, levant à tout instant la tête pour voir les manifestants devant lui sans cesser de lire les phrases imprimées qu'il tenait dans les mains.

Pleurez les Morts. Soignez les Blessés. Arrêtez la Guerre.

“Ne fais pas tout à la fois. Marche maintenant, tu liras plus tard.”

Il dit : “Ouais, bon.

— Si tu cherches à comparer ce que tu lis et ce que tu vois, ça ne correspond pas forcément.”

Il dit : “Ouais, bon.”

C'était nouveau, cette manière de la congédier par deux petits mots désinvoltes. Elle le poussa vers le trottoir et il but son soda à l'ombre, adossé à un immeuble. Debout à côté de lui, elle avait conscience de le voir s'affaisser lentement contre le mur, le geste commentait la chaleur et la longue marche, plus théâtral que plaintif.

Il finit par s'immobiliser en position de sumo accroupi miniature. Il passa en revue les tracts qu'il avait glanés, et s'attarda plusieurs minutes sur l'un d'eux en particulier. Elle vit le mot *islam* en haut de la page centrale, dans la pliure, suivi d'un numéro d'appel gratuit. C'était sans doute le prospectus qu'il avait pris des mains de la femme en foulard noir. Elle vit des mots en caractères gras, avec des explications.

Une troupe de femmes âgées passa en chantant un vieil hymne contestataire.

Il dit : "Le hadj.

— Oui."

Il dit : "La *chahada*.

— Oui.

— Il n'est de dieu qu'Allah et Mohammed est Son prophète.

— Oui."

Il répéta la phrase, lentement, d'une manière plus concentrée, la tirant vers lui en quelque sorte, s'efforçant de la déchiffrer. Il y avait des gens arrêtés près d'eux et d'autres qui défilaient d'un pas fourbu, des manifestants qui s'égaillaient sur le trottoir.

Il déchiffrait la phrase en arabe à présent. Il la lut et elle lui dit que c'était de l'arabe, une translittération. Mais même cela, un moment isolé, à l'ombre, avec son fils, c'était plus qu'elle n'en pouvait supporter et cela la mettait mal à l'aise. Il lut la définition d'un autre mot qui évoquait le jeûne annuel obligatoire pendant le mois du ramadan. Et elle se souvint de quelque chose. Il continuait à lire, la plupart du temps en silence mais parfois à voix haute, brandissant le tract pour qu'elle le prît quand il avait besoin d'aide pour prononcer un mot. Cela se produisit deux ou trois fois et, lorsque ce n'était pas le cas, elle se surprenait à penser au Caire, quelque vingt ans plus tôt, des formes très vagues en tête, et elle au milieu, en train de descendre d'un car de tourisme au sein d'une vaste foule.

Ce voyage était un cadeau, la récompense de sa réussite à ses examens ; elle et une ancienne amie de classe descendaient de ce car pour se retrouver au milieu d'une sorte de festival. La foule était si nombreuse qu'on avait l'impression, où qu'on fût, d'être au beau milieu. Le flot dense s'écoulait, au coucher du soleil, les entraînant le long de stands et d'étals de nourriture, et les amies se trouvèrent séparées en trente secondes. Ce qu'elle commença à ressentir, outre l'impuissance, était une sensation exacerbée de ce qu'elle était par rapport aux autres, ces milliers de gens, disciplinés mais étouffants. Les plus proches la voyaient, lui souriaient, certains lui parlaient, un ou deux, et elle était forcée de se voir dans la surface réfléchissante de la foule. Elle devenait ce qu'ils lui renvoyaient. Elle devenait un visage et des traits, une couleur de peau, une personne blanche, blanche étant son trait fondamental, le statut de son être. Ainsi donc, voilà qui elle était, pas vraiment mais en même temps oui, très exactement, pourquoi pas ? Privilégiée, détachée, autocentrée, blanche. C'était là, sur son visage, instruite, ignorante, pleine d'effroi. Elle ressentait toute l'amère vérité que recèlent les stéréotypes. La foule était heureuse d'être une foule. C'était leur vérité. Ils étaient chez eux, songeait-elle, dans la marée des corps, la masse compressée. Etre une foule, c'était une religion en soi, sans lien avec l'occasion qu'ils étaient là pour célébrer. Elle songea à des foules prises de panique qui submergeaient les rives d'un fleuve. Des pensées de personne blanche, un traitement de données de la panique blanche. Les autres n'avaient pas de ces pensées. Debra les avait, son amie, son double disparu, quelqu'un de blanc quelque part là-dedans. Elle essayait de repérer Debra, mais c'était une tâche ardue que de dégager les épaules et se retourner. Elles étaient chacune au milieu de la foule, elles étaient le milieu, chacune pour soi. Des gens lui parlaient. Un vieil homme lui offrit un bonbon et lui dit le nom de la fête, qui marquait la fin du ramadan. Son souvenir s'achevait là.

Il prononça la phrase en arabe, une syllabe après l'autre, lentement, et elle tendit la main pour prendre le tract et en donna sa propre version, non moins hésitante, plus rapide seulement. Il y avait d'autres mots, qu'il lui tendit, et elle les prononça, bien ou mal, et cela la mit mal à l'aise, si modeste que ce fût de se retrouver à lire une phrase, à expliquer un rituel. Cela faisait partie du discours public, du déversoir, avec le numéro gratuit pour l'islam. Même le souvenir du visage du vieil homme, au Caire, l'y ramenait. Elle était dans ce souvenir et sur ce trottoir en même temps, le fantôme d'une ville, le front tonitruant de l'autre, et elle avait besoin de fuir l'une et l'autre foule.

Ils atteignirent la fin du parcours dans le bas de la ville et écoutèrent un instant quelqu'un qui s'exprimait sur une estrade de fortune dans Union Square. Puis ils entrèrent dans la librairie toute proche et flânèrent dans les allées, au frais et au calme. Des milliers de livres, étincelants, sur des tables et des rayonnages, le lieu pratiquement désert, un dimanche d'été, et l'enfant se lança dans une imitation de chien limier, regardant et reniflant les livres mais sans les toucher, les doigts pressés sur son visage pour se faire des bajoues pendantes. Elle ignorait ce à quoi rimait le jeu mais comprenait qu'il n'essayait pas de l'amuser ou de l'agacer. Ce comportement se situait en dehors de son champ d'influence, entre les livres et lui.

Ils prirent l'escalator jusqu'au premier étage et passèrent un moment à regarder des livres scientifiques, des livres sur la nature, des livres de voyage, de la *ficción.*

"Qu'est-ce qui t'a le plus intéressé dans tout ce que tu as appris à l'école ? Depuis le commencement, les premiers jours.

— Le plus intéressé.

— Le plus marqué. Je t'écoute, petit futé.

— Tu parles comme papa.

— Je fais le remplacement. J'ai la double casquette.

— Quand est-ce qu'il revient ?

— Huit, neuf jours. Alors, le plus intéressant ?

— Le soleil est une étoile.

— Le truc le plus formidable que tu aies jamais appris.

— Le soleil est une étoile, dit-il.

— Mais ce n'est pas moi qui t'ai appris ça ?

— Je ne crois pas.

— Tu ne l'as pas appris à l'école. C'est moi qui te l'ai enseigné.

— Je ne crois pas.

— Nous avons une carte des étoiles accrochée au mur.

— Le soleil n'est pas sur le mur. Il est là-bas. Il n'est pas là-*haut.* Il n'y a pas de haut ou de bas. Il est juste là-bas.

— Ou c'est peut-être nous, dit-elle, qui sommes là-bas. Ce serait sans doute plus proche de la réalité des choses. C'est nous qui sommes quelque part là-bas."

Ils en profitaient, un peu de taquinerie et de plaisanterie, et ils se tenaient devant la grande baie vitrée, contemplant la fin du défilé, les banderoles qu'on baissait et qu'on enroulait, la foule qui se séparait, qui se dispersait, ceux qui se dirigeaient vers le parc, ceux qui descendaient dans le métro, ceux qui s'engageaient dans les rues adjacentes. C'était stupéfiant, en un sens, ce qu'il avait dit, une phrase, cinq mots, et regarde tout ce que ça dit, sur tout ce qui est. Le soleil est une étoile. Quand s'en était-elle elle-même rendu compte et pourquoi ne se rappelait-elle pas quand ? Le soleil est une étoile. On aurait dit une révélation, une façon neuve de songer à ce que nous sommes, la plus pure des façons, et qui ne se déployait que maintenant, comme un frisson mystique, un éveil.

Peut-être était-elle simplement fatiguée. Il était temps de rentrer à la maison, de manger quelque chose, de boire quelque chose. Huit ou neuf jours ou davantage. D'acheter un livre au petit et de rentrer.

Ce soir-là elle passa en revue la collection de disques de son père, et en fit écouter une face ou deux à Justin. Lorsqu'il fut couché, elle eut une autre idée et sortit une encyclopédie du jazz d'une étagère poussiéreuse, tout en haut, et voilà, c'était écrit là, en corps six, pas seulement l'année mais le mois et le jour. C'était bien l'anniversaire de Charlie Parker.

Elle comptait à rebours de sept en sept à partir de cent. Ça lui faisait du bien. Il y avait des faux pas ici et là. Les nombres impairs étaient d'un maniement délicat, ils donnaient l'impression de dégringoler dans le vide et contrariaient le cours tranquille de ce qui est divisible par deux. Voilà pourquoi ils voulaient lui faire compter à rebours de sept en sept. La plupart du temps elle arrivait aux nombres simples sans encombre. La transition qu'elle appréhendait le plus était de vingt-trois à seize. Elle était tentée de dire dix-sept. Elle était toujours sur le point de passer de trente-sept à trente à vingt-trois à dix-sept. Le nombre impair qui s'affirmait. Au centre médical le médecin accueillait l'erreur avec un sourire, ou ne la remarquait pas, ou gardait les yeux fixés sur une feuille de résultats de tests. Elle était perturbée par des trous de mémoire, ancrés dans l'histoire familiale. Elle allait bien, aussi. Un cerveau normal pour son âge. Elle avait quarante et un ans et, dans les limites des protocoles du système d'imagerie, tout semblait parfaitement en ordre. Les ventricules étaient sans histoire, le tronc cérébral et le cervelet, la base du cerveau, les régions caverneuses des sinus, la glande pituitaire. Tout était sans histoire.

Elle se soumit aux tests et à l'examen, à l'IRM, aux tests psychométriques, aux exercices d'association de mots, de remémoration, de concentration, elle marcha en ligne droite d'un mur à l'autre, compta à rebours de sept en sept à partir de cent.

Ça lui faisait du bien, de compter à rebours, et elle s'y livrait de temps en temps au fil du jour, en marchant dans la rue, assise dans un taxi. C'était sa forme de poésie lyrique, subjective et sans rimes, un peu comme une chanson mais non dépourvue de rigueur, de considération pour une tradition qui respectait l'ordre, mais à rebours, afin d'identifier l'éventuelle présence d'une autre sorte de retournement, qu'un médecin avait qualifié joliment de rétrogenèse.

Dans la salle des Paris Sportifs & Hippiques du vieux casino, au bout de la ville, cinq rangées de longues tables étaient disposées à différents niveaux. Il était assis au bout de la dernière table de la première rangée, face à cinq écrans placés sur le mur qui montraient des chevaux en train de courir dans divers fuseaux horaires quelque part sur la planète. Un type lisait un livre de poche à la table juste au-dessous de la sienne, tenant à la main une cigarette qui se consumait. A l'autre extrémité de la salle, au dernier niveau, une grosse femme en sweat-shirt à capuche était assise devant des journaux étalés. Il savait que c'était une femme parce que la capuche n'était pas relevée et il l'aurait su de toute façon, grâce à ses gestes ou à sa posture, à sa façon d'étaler les pages devant elle et de les lisser à deux mains puis de replier les autres pages hors de son champ de lecture, dans la lumière tamisée et la fumée en suspens.

Le casino s'étendait derrière lui et de chaque côté, des hectares de fentes éclairées au néon, pratiquement vides à présent de toute pulsation humaine. Il se sentait néanmoins cadré, cerné par la pénombre et le plafond bas et par l'épais résidu de fumée qui lui collait à la peau, chargé de décennies de foule et de jeu.

Il était huit heures du matin et il était la seule personne à le savoir. Il jeta un coup d'œil à l'extrémité de la table adjacente, où était assis un vieil homme à queue de cheval blanche, penché par-dessus le bras de son siège, les yeux fixés sur les chevaux à mi-course, et dont le corps anxieusement tendu exprimait qu'il y avait de l'argent sur la ligne d'arrivée. A part ça il était immobile. L'inclinaison du corps était la seule chose, et puis la voix du commentateur, un tir rapide, l'unique moment de vague excitation : *Yankee Gal remonte à la corde.*

Il n'y avait personne d'autre à ces tables. Des courses se terminaient, d'autres commençaient, à moins que ce ne fussent les mêmes courses qui repassaient sur un ou plusieurs écrans. Il ne regardait pas vraiment. Il y avait des bribes d'action sur une autre série d'écrans, installés plus bas, au-dessus de la cage du caissier. Il regardait brûler la cigarette dans la main du type qui lisait le livre, juste au-dessous de lui. Il jeta encore un coup d'œil à sa montre. Il savait l'heure et le jour de la semaine et se demanda quand ce genre de détails commencerait à paraître superflu.

Dans la dernière ligne droite de la course en cours, l'homme à la queue de cheval se leva et s'en alla, en roulant son journal bien serré et en le faisant claquer sur sa cuisse. Tout l'endroit empestait l'abandon. A son tour Keith se leva et se dirigea vers la salle de poker, où il acquitta le droit d'entrée et prit sa place, prêt pour le début du tournoi, ou prétendu tel.

Seules trois tables étaient occupées. Vers la soixante-dix-septième partie de hold'em, il commença à percevoir une vie dans tout ça, non pas pour ce qui le concernait mais pour les autres, une aube fragile de signification au bout du tunnel. Il regarda la femme qui clignait des yeux de l'autre côté de la table. Elle était maigre, ridée, difficile à voir, juste là, à moins de deux mètres, le cheveu grisonnant. Il ne se demandait ni qui elle était ni où elle irait quand ce serait fini, dans quelle sorte de pièce, pour penser à quoi. Fini, ça ne l'était jamais. Justement. Il n'y avait rien en dehors du jeu sinon un espace évanoui. Elle cillait et relançait, cillait et passait la main.

Dans les profondeurs du casino, la voix enfumée du commentateur repassait. Yankee Gal remontait à la corde.

Elles lui manquaient, ces soirées entre amis, où l'on parle de tout. Elle n'avait pas gardé de contacts étroits et n'en éprouvait ni culpabilité ni besoin. Il y avait des heures de conversation et de rire, de bouteilles qu'on débouche. Ce qui lui manquait, c'était les bilans en forme de comiques monologues des égocentriques pathologiques. Il ne restait rien à manger, mais il restait du vin, et qui était le petit type à lavallière rouge qui imitait le bruitage des sous-marins dans les vieux films ? Elle ne sortait plus que rarement, seule, et elle ne rentrait pas tard. Ce qui lui manquait, c'était les week-ends d'automne à la campagne, chez quelqu'un, la chute des feuilles et les jeux de ballon, les enfants qui roulent sur les pelouses en pente, meneurs et suiveurs, sous l'œil attentif de deux grands chiens élancés, dressés sur leur séant à la manière de silhouettes mythologiques.

Elle n'éprouvait pas l'attirance de jadis, la chose qu'on attend. Cela avait aussi à voir avec la pensée de Keith. Il ne voudrait pas faire ça. Il ne s'était jamais senti à l'aise dans ce genre d'environnement et il lui serait désormais impossible de ressentir les choses autrement. Les gens ont du mal à l'approcher au niveau social le plus ordinaire. Ils pensent qu'ils vont être repoussés. Qu'ils vont heurter un mur et être repoussés.

Sa mère, voilà ce qui lui manquait. Nina était tout autour d'elle à présent mais seulement dans l'air hanté de méditation, son visage et son souffle, une présence assidue, quelque part, tout près.

Après la cérémonie commémorative, quatre mois plus tôt, un petit groupe était allé faire un déjeuner tardif. A son habitude, Martin avait débarqué de quelque part en Europe, et deux anciens collègues de sa mère étaient présents.

Ce fut une heure et demie paisible, où se racontèrent des histoires sur Nina et sur divers sujets, le travail de chacun, les endroits où ils étaient récemment allés. La femme, auteur de biographies, mangeait à peine et parlait longuement. L'homme ne disait presque rien. Il dirigeait une bibliothèque d'art et d'architecture.

L'après-midi tirait à sa fin, on servait le café. C'est alors que Martin déclara : "Tout le monde en a marre de l'Amérique et des Américains. C'est à en être écœuré."

Nina et lui ne s'étaient revus que rarement dans les deux ou trois dernières années de sa vie. Ils avaient chacun des nouvelles de l'autre par des amis communs ou par l'intermédiaire de Lianne, qui conservait des contacts sporadiques avec Martin, par e-mail et par téléphone.

"Mais je vais vous dire une chose", ajouta-t-il.

Elle le regarda. Il avait la même barbe de quinze jours, et les paupières tombantes d'un décalage horaire chronique. Il portait son costume fripé, son uniforme, une chemise dans laquelle il semblait avoir dormi, et pas de cravate. Un individu déplacé ou profondément distrait, perdu dans le temps. Mais il s'était empâté, son visage s'élargissait d'est en ouest, et il y avait des signes d'enflure et d'affaissement que la barbe ne pouvait dissimuler. Il avait l'air sous pression d'un homme dont les yeux auraient subi un rétrécissement dans sa tête.

“Malgré toute la négligence et la puissance de ce pays, laissez-moi vous dire, à cause de tout le danger qu'elle provoque dans le monde, l'Amérique va perdre son importance. Vous ne me croyez pas ?”

Elle n'aurait pas su dire pourquoi elle était restée en contact avec lui. Les arguments en sa défaveur n'étaient pas minces. Il y avait ce qu'elle savait de lui, même lacunaire, et, plus révélateur, ce que sa mère en était arrivée à éprouver envers lui. Une forme de culpabilité par association, celle de Martin, quand les tours étaient tombées.

“Il y a un mot en allemand. *Gedankenübertragung*. La diffusion des pensées. Nous commençons tous à développer cette notion, de l'inutilité de l'Amérique. Un peu comme dans la télépathie. Le jour approche où personne n'aura plus besoin de penser à l'Amérique sauf pour le danger qu'elle représente. Elle perd sa position centrale. Elle devient le centre de sa propre merde. C'est bien le seul centre qu'elle occupe.”

Elle n'aurait pas su dire ce qui avait amené ces propos, peut-être quelque chose que quelqu'un avait dit précédemment, en passant. Peut-être Martin se disputait-il avec la morte, avec Nina. Ils regrettaient visiblement de ne pas être rentrés chez eux, les collègues, avant le café et les biscuits. Ce n'était guère le moment, intervint la femme, d'avoir une discussion sur la politique mondiale. Nina s'y serait entendue mieux qu'aucun de nous, disait-elle, mais Nina n'est plus là et cette conversation déshonore sa mémoire.

Martin balaya l'argument d'un geste, réfutant les termes réducteurs de l'intervention. Il constituait un lien avec sa mère, se dit Lianne. Voilà pourquoi elle était restée en contact. Alors même que sa mère était encore en vie, en proie à son inexorable dépérissement, il avait aidé Lianne à la considérer sous un jour plus défini. Dix ou quinze minutes au téléphone avec cet homme, qui portait la marque du regret mais aussi de l'amour et de la réminiscence, voire de plus longues conversations qui s'étiraient sur près d'une heure, et elle se sentait à la fois plus triste et plus forte de percevoir Nina dans une sorte d'arrêt sur image, alerte et vive. Elle parlait à sa mère de ces appels, et elle observait son visage, à l'affût d'un signe de lumière.

C'était lui qu'elle observait à présent.

Les collègues insistèrent pour payer l'addition. Martin ne fit pas d'objection. Il en avait assez d'eux. Ils incarnaient une forme de tact circonspect convenant davantage à des funérailles nationales en régime autocratique. Avant de partir, le directeur de bibliothèque prit un tournesol dans le petit vase placé au milieu de la table et le glissa dans la poche de poitrine de Martin. Il accompagna le geste d'un sourire, peut-être hostile, peut-être pas. Puis il parla enfin, dominant la table tandis qu'il enfilait son long corps dans un imperméable.

"Si nous occupons le centre, c'est parce que vous nous y avez mis. Voilà votre vrai dilemme, dit-il. En dépit de tout, nous sommes toujours l'Amérique, et vous êtes toujours l'Europe. Vous allez voir nos films, vous lisez nos livres, vous écoutez notre musique, vous parlez notre langue. Comment pouvez-vous cesser de penser à nous ? Vous nous voyez et nous entendez tout le temps. Posez-vous la question. Il y a quoi, après l'Amérique ?"

Martin répondit avec calme, presque sans conviction, comme s'adressant à lui-même.

"Je ne connais plus cette Amérique-là. Je ne la reconnais pas, dit-il. Il y a un espace vide à l'endroit où était l'Amérique."

Ils étaient les derniers clients dans la longue salle, en contrebas de la rue, elle et Martin, et ils restèrent à parler un bon moment. Elle évoqua les pénibles derniers mois de sa mère, les vaisseaux sanguins qui éclatent, le contrôle musculaire qui se perd, la parole qui se défait, le regard qui se vide. Il était penché au-dessus de la table, le souffle lourd. Elle souhaitait qu'il parle de Nina, et il le fit. On eût dit que depuis bien longtemps elle n'avait plus connu de sa mère que Nina dans un fauteuil, Nina dans un lit. Il la fit remonter dans des ateliers d'artiste, des ruines byzantines, dans des auditoriums où elle avait donné des conférences, de Barcelone à Tokyo.

"Souvent, quand j'étais enfant, j'imaginais que j'étais elle. Quelquefois je me plaçais au milieu de la pièce et je m'adressais à un fauteuil ou à un canapé. Je disais des choses très intelligentes sur les peintres. Je savais comment prononcer tous les noms, tous les noms difficiles, et je connaissais leurs tableaux d'après des livres et par des visites dans les musées.

— Tu étais souvent seule.

— Je ne comprenais pas pourquoi ma mère et mon père se séparaient. Ma mère ne faisait jamais la cuisine et on aurait dit que mon père ne mangeait jamais. Qu'est-ce qui pouvait se passer de mal ?

— Tu seras toujours leur fille, je pense. Leur fille. D'abord et à jamais, voilà ce que tu es.

— Et toi, tu es à jamais quoi ?

— Je suis à jamais l'amant de ta mère. Bien avant que je la connaisse. Son amant à jamais. C'était écrit.

— Tu réussis presque à me le faire croire."

L'autre chose qu'elle voulait croire, c'était que l'aspect physique de Martin ne fût pas le signe d'une maladie ou d'un profond revers financier affectant son moral. C'était la fin de leur longue histoire, à lui et à Nina, qui l'avait conduit à un tel point de démoralisation. Cela, ni plus, ni moins. Cette conviction suscitait sa sympathie.

"Il y a des gens qui ont de la chance. Ils deviennent ce qu'ils sont censés devenir, dit-il. Cela ne s'est pas passé pour moi avant de rencontrer ta mère. Un jour nous nous sommes mis à parler et cette conversation ne s'est plus jamais interrompue.

— Même à la fin.

— Même quand nous ne trouvions plus rien de chaleureux à dire, voire plus rien du tout. Jamais la conversation ne s'est arrêtée.

— Je te crois.

— Depuis le premier jour.

— En Italie, dit-elle.

— Oui. En effet.

— Et le deuxième jour. Devant une église, dit-elle. Vous deux. Et quelqu'un vous a photographiés."

Il releva la tête et parut l'étudier en se demandant ce qu'elle savait d'autre. Elle ne lui dirait pas ce qu'elle savait ni qu'elle n'avait fait aucun effort pour en apprendre davantage. Elle n'était pas allée dans des bibliothèques pour étudier l'histoire des mouvements clandestins de ces années-là et elle n'avait pas cherché sur Internet les traces de l'homme du nom d'Ernst Hechinger. Sa mère ne l'avait pas fait, elle ne l'avait pas fait non plus.

"Il y a un avion à prendre.

— Que ferais-tu sans tes avions ?

— Il y a toujours un avion à prendre.

— Où serais-tu ? dit-elle. Une seule ville, laquelle ?"

Il était venu pour la journée, sans valise ni sac. Il avait vendu son appartement de New York et y avait réduit ses activités.

"Je ne pense pas être prêt à affronter cette question. Une seule ville, dit-il, et je suis pris au piège."

Il était connu dans l'établissement et le serveur apporta des cognacs offerts par la maison. Ils s'attardèrent encore un moment, presque jusqu'au crépuscule. Elle prit conscience qu'elle ne le reverrait jamais.

Elle avait respecté son secret, s'était inclinée face à son mystère. Quoi qu'il ait pu faire, cela ne sortait pas du cadre des réponses. Elle pouvait imaginer sa vie, à l'époque et désormais, déceler la pulsation assourdie d'une lucidité antérieure. Peut-être était-il un terroriste mais il était l'un des nôtres, pensa-t-elle, et cette pensée la glaça, lui fit honte – l'un des nôtres, ce qui signifiait sans dieu, occidental, blanc.

Il se leva et ôta la fleur de sa poche de poitrine. Puis il la huma et la jeta sur la table, en souriant à Lianne. Ils se touchèrent une seconde et sortirent dans la rue, où elle le suivit des yeux jusqu'au coin, le bras levé à l'intention de la marée de taxis qui passaient.

XI

Le donneur effleura le bouton vert, un jeu de cartes neuf apparut sur la table.

Pendant ces mois consacrés à maîtriser le jeu, il passait la plupart de son temps sur le Strip, assis dans de profonds fauteuils en cuir dans les salles de paris sportifs, ou recroquevillé sous de vastes abat-jour dans les salles de poker. Il gagnait enfin de l'argent, des sommes modestes qui commençaient à faire montre d'une certaine régularité. Il rentrait aussi à la maison, trois ou quatre jours de temps en temps, amour, sexe, paternité, cuisine familiale, mais il se trouvait parfois à court de choses à dire. Il n'existait pas de langage, eût-on dit, pour leur dire comment il passait ses jours et ses nuits.

Il ressentait bientôt le besoin de retourner là-bas. Lorsque son avion descendait au-dessus du désert, il n'avait aucun mal à croire qu'il s'agissait d'un endroit connu de lui depuis toujours. Il y avait des méthodes et des routines banales. Le taxi pour aller au casino, le taxi pour rentrer à son hôtel. Il se débrouillait avec deux repas par jour, il n'avait pas besoin de davantage. La chaleur écrasait le métal et le verre, les rues semblaient miroiter. A la table de jeu, il n'examinait pas les joueurs pour percer à jour leurs secrets, et ne se demandait pas pourquoi ils toussaient, prenaient l'air de s'ennuyer, ou se grattaient l'avant-bras. Il étudiait les cartes et connaissait les tendances. Il y avait ça, et puis la femme qui clignait des yeux. Il se la rappelait, au casino du centre-ville, invisible à l'exception de ses yeux inquiets. Le clignement des yeux ne constituait pas un indice. Elle était simplement la mère d'un homme mûr, en train de lancer des jetons au pot à coups de clignements d'yeux au gré des caprices de la nature, telle une luciole dans un pré. Il buvait de l'alcool avec modération, pratiquement pas une goutte, et s'accordait cinq heures de sommeil, à peine conscient de fixer des limites et des restrictions. Jamais ne lui venait à l'idée d'allumer un cigare comme au bon vieux temps, lors des bonnes vieilles parties. Il parcourait les halls d'hôtel sous des plafonds de chapelle Sixtine peints à la main, dans l'éclat aveuglant de tel ou tel casino, sans regarder les gens, ne voyant quasiment personne, mais chaque fois qu'il montait en avion il observait à la dérobée les visages de part et d'autre de l'allée centrale, s'efforçant de repérer le ou les hommes susceptibles de représenter un danger pour eux tous.

Quand la chose se produisit, il se demanda pourquoi il ne l'avait pas anticipée. La chose se produisit dans l'un des casinos haut de gamme, cinq cents joueurs assemblés pour un tournoi de hold'em déplafonné à fort droit d'entrée. Là-bas, à l'autre bout de la salle, au-dessus des têtes des joueurs attablés, un homme debout s'apprêtait à faire une série d'exercices de flexion, détente des muscles du cou et des épaules, faire circuler le sang. Il y avait dans ses mouvements un élément de pur rituel, bien au-delà du fonctionnel. Il prenait de profondes inspirations abdominales, puis plongeait une main vers la table et semblait jeter des jetons pour mettre au pot sans même un regard pour la partie qui requérait les paris. L'homme était étrangement familier. Ce qu'il y avait d'étrange, c'était qu'après le passage de plusieurs années quelqu'un pût paraître à ce point différent tout en étant lui-même sans équivoque possible. Ce ne pouvait être que Terry Cheng, qui se prélassait maintenant sur son siège, quittant le champ de vision de Keith, et bien évidemment c'était lui car comment, sinon, tout cela pourrait-il être en train de se passer, le circuit du poker, le fracas tumultueux de l'argent qui ruisselle, les chambres d'hôtel exonérées et la haute compétition ? Comment, sans la présence de Terry Cheng.

Ce n'est que le lendemain, alors que la femme sur le podium annonçait les places disponibles à telle ou telle table, qu'ils se retrouvèrent ensemble derrière la balustrade.

Terry Cheng exhibait un pâle sourire. Il portait des lunettes teintées et une veste olive à larges revers avec des boutons brillants. La veste était trop grande, flottait au niveau des épaules. Il portait un pantalon informe et des pantoufles d'hôtel, genre velours, et une chemise en soie surie d'avoir été trop portée.

Keith s'attendait plus ou moins à l'entendre parler en mandarin du Ve siècle.

"Je me demandais combien de temps tu mettrais à me repérer.

— C'est donc toi qui m'as repéré, si je comprends bien.

— Il y a environ une semaine, dit Terry.

— Et tu n'as rien dit.

— Tu étais au milieu d'une partie. Qu'est-ce que j'aurais dit ? Ensuite, quand j'ai relevé la tête, tu n'étais plus là.

— Je vais aux paris sportifs pour me détendre. Manger un sandwich et boire une bière. J'aime l'action tout autour de moi, tous les écrans, tous les sports. Je bois une bière sans vraiment faire attention à tout ça.

— J'aime bien m'asseoir près de la cascade. Je commande une boisson pas trop forte. Dix mille personnes autour de moi. Dans les allées, dans l'aquarium, dans le jardin, aux machines à sous. Je sirote un truc pas trop fort."

Terry sembla s'incliner vers la gauche, comme un type sur le point de s'éloigner vers une sortie. Il avait perdu du poids et faisait plus vieux, et il parlait d'une voix inhabituelle, avec une intonation un peu rauque.

"Tu habites ici.

— Quand je suis en ville. Les chambres ont de la classe, dit Terry. Il y a un mur entièrement en baie vitrée.

— Ça ne te coûte rien.

— Les à-côtés.

— Un joueur sérieux.

— Je suis dans leur ordinateur. Tout est dans leur ordinateur. Tout est enregistré. Tu prends quelque chose dans le minibar et tu ne l'y remets pas dans les soixante secondes, ça va aussitôt sur ta note."

Il aimait ça, Terry. Keith se tâtait encore.

"Quand tu arrives, ils te donnent un plan. J'en ai encore besoin, au bout de tout ce temps. Je ne sais jamais où je suis. Le room service apporte des sachets de thé en forme de pyramide. Tout est très dimensionnel. Je leur dis de ne pas m'apporter de journal. Si tu ne lis pas de journal, tu ne prends jamais de retard."

Ils parlèrent encore une minute, puis gagnèrent leurs tables respectives sans convenir de se retrouver plus tard. La notion de “plus tard” était indéfinissable.

A l’autre bout de la table, l’enfant étalait de la moutarde sur du pain. Elle ne vit pas trace d’autres formes de nourriture.

Elle dit : “J’avais un stylo très bien. Dans le genre argenté. Tu l’as peut-être vu.”

Il s’interrompit et réfléchit, les yeux étrécis tandis que son visage se vitrifiait. Ce qui signifiait qu’il avait vu le stylo, s’en était servi, l’avait perdu, donné ou échangé contre quelque chose d’idiot.

“Nous n’avons rien de bien pour écrire dans cette maison.”

Elle savait à quoi ces mots faisaient penser.

“Tu as cent crayons et nous avons une douzaine de stylos bille nuls.”

On aurait dit le déclin et la chute de tout échange cultivé sur un support tel que le papier. Elle le regarda replonger le couteau dans le bocal et étaler soigneusement la moutarde jusque sur les bords du pain.

“Qu’est-ce que tu reproches aux stylos bille ? dit-il.

— Ils sont nuls.

— C’est quoi, un crayon nul ?

— D’accord. Des crayons. Du bois et du plomb. Les crayons, c’est sérieux. Du bois et du graphite. Des matériaux issus de la terre. C’est ce que nous respectons dans le crayon.

— Où est-ce qu’il va cette fois ?

— Paris. Une grande compétition. Je l’y rejoindrai peut-être pour quelques jours.”

Il s’interrompit de nouveau pour réfléchir.

“Et moi alors ?

— Tu vis ta vie. Simplement, tu n'oublies pas de refermer la porte à clé derrière toi quand tu rentres après une soirée de ribote et de beuverie.

— Ouais, bon.

— Tu sais ce que c'est, la ribote ?

— Plus ou moins.

— Moi aussi. Plus ou moins, dit-elle. Et je ne vais nulle part.

— Tu ne crois pas que je m'en doute ?"

De la fenêtre, elle le regarda plier sa tartine et y mordre. C'était du pain complet, neuf céréales, dix céréales, sans graisses ajoutées, bonne source de fibres. Elle ne savait rien des mérites de la moutarde.

"Qu'est-ce que tu as fait du stylo ? Le stylo en argent. Tu sais de quoi je parle.

— Je crois qu'il l'a pris.

— Tu crois quoi ? Non, il ne l'a pas pris. Il n'a pas besoin de stylo.

— Il a besoin d'écrire des choses. Comme tout le monde.

— Il ne l'a pas pris.

— Je ne l'accuse pas. Je le dis juste.

— Pas ce stylo-là. Il n'a pas pris ce stylo-là. Alors où est-il ?"

Il fixa le dessus de la table.

"Je pense qu'il l'a pris. Il ne sait peut-être même pas qu'il l'a pris. Je ne l'accuse pas."

Il était toujours debout là, le pain à la main, évitant de la regarder.

Il dit : "Je pense vraiment, sincèrement, qu'il l'a pris."

Des gens partout, beaucoup avec des caméras.

"Tu as travaillé ton jeu, dit Terry.

— Quelque chose comme ça.

— La situation est en train de changer. Toute l'attention, la couverture télé, les armées de recrues, tout ça va bientôt disparaître.

— Tant mieux.

— Tant mieux, dit Terry.

— Nous serons toujours là.

— Nous sommes des joueurs de poker", dit-il.

Ils étaient assis dans le hall près de la cascade, avec des sodas et des en-cas. Terry Cheng portait les pantoufles d'hôtel, pas de chaussettes, et il laissait une cigarette se consumer dans le cendrier.

"Il y a une partie clando, une partie privée, gros enjeux, des villes chicos. C'est comme une religion interdite qui se réveille. Stud à cinq cartes.

— Notre bon vieux jeu.

— Il y en a deux. Phoenix et Dallas. Comment s'appelle ce coin de Dallas, déjà ? Très friqué.

— Highland Park.

— Des gens friqués, d'un certain âge, genre notables. Des connaisseurs, qui respectent le jeu.

— Stud à cinq cartes.

— Stud et jeu classique.

— Tu te débrouilles bien. Tu gagnes gros, dit Keith.

— Leurs âmes m'appartiennent", dit Terry.

Des foules déambulaient dans le vaste hall qui ressemblait vaguement à un manège, des clients de l'hôtel, des joueurs, des touristes, des gens en route vers les restaurants, les boutiques de luxe, la galerie d'art.

"Tu fumais, à l'époque ?

— Je ne sais pas. Raconte, dit Terry.

— Je crois que tu étais le seul à ne pas fumer. Nous avions pas mal de cigares et une seule cigarette. Mais je ne pense pas que c'était toi."

C'étaient des instants isolés, sur ces sièges, pendant lesquels Terry Cheng semblait être redevenu le type chez Keith, qui, à la table de jeu, répartissait les jetons à toute vitesse avec un art consommé après les parties de high-low. Il était l'un d'eux, sauf qu'il était meilleur aux cartes, et pas vraiment l'un d'eux en vérité.

"Tu as vu le type à ma table ?

— Avec le masque chirurgical.

— Il gagne un maximum, dit Terry.

— J'imagine que ça va se répandre.

— Le masque, oui.

— Trois ou quatre personnes un jour, qui arrivent avec leurs masques chirurgicaux.

— Personne ne sait pourquoi.

— Et puis il y en a dix de plus, et encore dix de plus après ça. Comme ces gens à vélo, en Chine.

— Oui, dit Terry. Exactement."

Chacun suivait le fil de la pensée de l'autre sur la piste la plus étroite. Autour d'eux un brouhaha inarticulé imprégnait si profondément l'air et les murs et le mobilier, et les corps en mouvement des hommes et des femmes, qu'il n'était pas aisé de le distinguer de l'absence totale de bruit.

"Ça change du circuit. Ils boivent du bourbon hors d'âge et ils ont des femmes quelque part dans les autres salles.

— Dallas, tu disais.

— Oui.

— Je ne sais pas.

— Il y a une partie qui va commencer à Los Angeles. Même chose, stud à cinq cartes. Des gens plus jeunes. Genre premiers chrétiens cachés. Penses-y.

— Je ne sais pas. Je ne suis pas sûr de survivre plus de deux nuits dans ce genre d'environnement social.

— Je crois que c'était Rumsey. Le seul, dit Terry, qui fumait des cigarettes."

Keith fixa la cascade, à trente ou quarante mètres. Il se rendit compte qu'il ne savait pas si elle était vraie ou fausse. La chute était lisse et régulière et le bruit de l'eau qui coulait pouvait aisément relever d'une production numérique à l'instar de la cascade elle-même.

Il dit : "Rumsey, c'était le cigare.

— Rumsey, c'était le cigare. Tu as sûrement raison."

Malgré tout le relâchement de ses manières, ses vêtements mal ajustés, sa tendance à se perdre dans les profondeurs de l'hôtel et les promenades alentour, Terry était inflexiblement ancré dans cette vie. Cela n'avait rien à voir. Ceci ne se trouvait pas équilibré par cela. Il n'existait aucun élément qui pût être perçu à la lumière d'un autre. Tout était d'un bloc, quel que fût l'endroit, la ville, le montant de la prime. Keith voyait bien l'intérêt de la chose. Il préférait cela aux tournois privés assortis de plaisanteries convenues et d'épouses disposant des fleurs dans des vases, un format qui exerçait une séduction sur la vanité de Terry, se dit-il, mais qui ne pouvait le disputer à l'anonymat crucial de ces jours et de ces semaines, à ce mélange d'existences innombrables que ne reliait entre elles aucune histoire.

"As-tu déjà regardé la cascade ? Arrives-tu à te convaincre que tu regardes de l'eau, de la vraie eau, et pas des effets spéciaux ?

— Je n'y pense pas. Ce n'est pas un truc auquel on est censé penser", dit Terry.

Sa cigarette était consumée jusqu'au filtre.

"Je travaillais dans le centre. Je n'ai pas vécu l'impact que d'autres ont ressenti, là-bas, où tu étais, dit-il. On m'a dit, quelqu'un m'a dit que la mère de Rumsey. C'est quoi, déjà ? Qu'elle a pris une chaussure. Qu'elle a pris l'une de ses chaussures et qu'elle a pris une lame de rasoir. Qu'elle est allée chez lui et qu'elle a pris des choses, ce qu'elle a pu trouver susceptible de contenir du matériau génétique, du genre traces de cheveux ou de peau. Il y avait un poste de la garde nationale où elle a apporté ces choses pour faire une recherche d'ADN."

Keith fixait la cascade.

"Elle y est retournée un ou deux jours plus tard. Qui m'a dit ça ? Elle a apporté autre chose, je ne sais plus, une brosse à dents. Puis elle y est encore retournée. Avec autre chose. Elle y est retournée encore une nouvelle fois. Et puis ils ont déplacé le poste. C'est à ce moment-là qu'elle a arrêté d'y aller."

Jamais Terry Cheng, ce vieux Terry, n'avait été aussi bavard. Raconter ne fût-ce qu'une brève histoire excédait les limites de ce qu'il considérait comme relevant d'une retenue supérieure.

"Je disais toujours aux gens. Les gens racontaient où ils étaient, où ils travaillaient. Je disais dans le centre. L'expression paraissait sans détour. Neutre, pour ainsi dire, nulle part. On m'a dit qu'il était passé par une fenêtre, Rumsey."

Keith fixait la cascade. C'était mieux que de fermer les yeux. S'il fermait les yeux, il verrait quelque chose.

"Tu es retourné travailler dans le cabinet d'avocats pendant un moment. Je me souviens que nous avons parlé.

— C'était une autre compagnie et pas un cabinet d'avocats.

— Quoi qu'il en soit, dit Terry.

— C'est ça que c'était, quoi qu'il en soit.

— Mais nous sommes ici et nous y serons encore quand l'hystérie retombera.

— Tu joues toujours en ligne.

— Oui, mais je ne peux pas lâcher le truc. C'est ici que nous serons.

— Et le type avec le masque chirurgical.

— Oui, il sera là.

— Et la femme qui cligne des yeux.

— Je n'ai pas vu la femme qui cligne des yeux, dit Terry.

— Un jour je lui parlerai.

— Tu as vu le nain.

— Une seule fois. Et puis il a disparu.

— Un nain nommé Carlo. Un gros perdant. C'est le seul joueur dont je connaisse le nom à part toi. Je connais son nom parce que c'est le nom d'un nain. Il n'y a pas d'autre raison."

La masse des machines à sous régurgitait derrière eux.

Lorsqu'il entendit la nouvelle à la radio, Ecole Numéro Un, beaucoup d'enfants, il sut qu'il fallait qu'il l'appelle. Des terroristes qui prenaient des otages, le siège, les explosions, c'était en Russie, quelque part, des centaines de morts, beaucoup d'enfants.

Elle parlait calmement.

"Ils savaient forcément. Ils ont créé une situation qui allait forcément en arriver là, avec des enfants. Ils le savaient forcément. Ils y sont allés pour mourir. Ils ont créé une situation, avec des enfants, spécifiquement, et ils savaient comment ça finirait. Ils le savaient forcément."

Le silence se fit aux deux bouts de la ligne. Un moment passa puis elle dit qu'il faisait bon, dans les vingt-cinq degrés, et ajouta que le petit était en forme, que le petit allait bien. Sa voix avait quelque chose de tendu, et puis il y eut un nouveau silence. Il essayait d'y voir clair, de trouver le lien dans ses remarques. Durant la longue pause, il commença à se voir exactement là où il était, dans une chambre quelque part, dans un hôtel quelque part, avec un téléphone à la main.

Elle lui dit que les résultats ne révélaient rien de spécial. Il n'y avait aucun signe de lésion. Elle répétait constamment *rien de spécial*. Elle aimait l'expression. L'expression impliquait un énorme soulagement. Il n'y avait pas de lésions, d'hémorragies ou d'infarctus. Elle lui lut les résultats et lui, dans sa chambre, il écoutait. Il y avait tant de choses énumérées qui n'avaient rien de spécial. Elle aimait le mot *infarctus*. Puis elle dit qu'elle n'était pas sûre de croire les résultats. D'accord pour le moment, mais plus tard ? Il lui avait dit bien des fois et lui redit encore qu'elle inventait des raisons d'avoir peur. Ce n'était pas de la peur, dit-elle, mais seulement du scepticisme. Elle allait bien. Elle avait une morphologie normale, dit-elle, citant le compte rendu. Elle aimait ce terme mais avait du mal à croire qu'il s'appliquât à elle. C'était une affaire de scepticisme, dit-elle, du grec, pour sceptique. Puis elle parla de son père. Elle était légèrement ivre, pas à moitié soûle mais peut-être au quart, c'est-à-dire aussi soûle qu'elle l'avait jamais été. Elle lui parla de son père et le questionna sur le sien. Puis elle rit et dit : "Ecoute", et elle se mit à réciter une série de nombres, en marquant un temps entre chacun, sur un ton de joyeuse ritournelle.

Cent, quatre-vingt-treize, quatre-vingt-six, soixante-dix-neuf.

Le gosse lui manquait. Ils n'aimaient ni l'un ni l'autre parler au téléphone. Comment parle-t-on avec un enfant au téléphone ? Il parlait avec elle. Ils parlaient parfois au milieu de la nuit, son heure à elle, ou au milieu de la nuit, son heure à lui. Elle décrivait sa position au lit, en chien de fusil, la main entre les jambes, ou le corps étalé par-dessus les draps, le téléphone sur l'oreiller, et il l'entendait murmurer dans la double distance, la main sur un sein, la main sur la chatte, la voyant si distinctement qu'il pensait que sa tête risquait d'exploser.

XII

Il y avait une exposition de toiles de Morandi dans une galerie de Chelsea, des natures mortes, six, et deux ou trois dessins, des natures mortes, et bien sûr elle s'y rendit. Elle avait des sentiments mitigés à l'idée d'y aller mais néanmoins le fit. Parce que des bouteilles et des bocaux, un vase, un verre, de simples formes tracées à l'huile sur la toile, au crayon sur le papier, même cela la ramenait au cœur de la tourmente, les disputes, les perceptions, l'effrayante dimension de la politique, sa mère et l'amant de sa mère.

Nina avait tenu absolument à réinstaller les deux tableaux sur le mur de son salon. Ils avaient été restitués à Martin dans les premiers temps de leur différend, de même que les vieilles photos de passeport. C'était un travail remontant à plus d'un demi-siècle, les tableaux, et les photographies étaient beaucoup plus anciennes ; c'était une œuvre que les deux femmes adoraient. Mais elle honora les volontés de sa mère, organisa l'expédition, pensa à la valeur monétaire des tableaux, respecta l'intégrité de sa mère, pensa aux tableaux eux-mêmes, envoyés à Berlin, pour y être négociés et vendus lors d'une transaction par téléphone portable. Sans eux la pièce avait l'air d'une tombe.

La galerie était une vieille bâtisse industrielle, pourvue d'un ascenseur grillagé qui requérait la présence d'un être humain à plein temps pour actionner le levier sur un panneau rotatif, et qui secouait les visiteurs sur toute la longueur de la cage.

Elle s'engagea dans un long corridor sombre et trouva la galerie.

Il n'y avait personne. Elle s'arrêta devant la première toile. C'était une variation sur le thème d'un des tableaux que sa mère avait possédés. Elle observa la nature et la forme de chaque objet, la disposition des objets, les oblongs sombres, la bouteille blanche. Elle ne pouvait en détacher les yeux. Il y avait quelque chose de caché dans ce tableau. Le salon de Nina était là, mémoire et mouvement. Les objets représentés se confondaient avec les silhouettes qu'ils recelaient, la femme qui fumait assise dans le fauteuil, l'homme debout. Elle finit par passer au tableau suivant, puis au suivant, gravant chacun dans son esprit. Les dessins venaient ensuite. Elle n'avait pas encore approché les dessins.

Un homme entra. Qui s'intéressa à elle avant de s'intéresser aux tableaux. Peut-être s'attendait-il à certaines libertés autorisées au motif qu'ils étaient deux personnes intellectuellement assorties se retrouvant dans une bâtisse décrépite pour contempler des œuvres d'art.

Elle franchit le passage ouvert pour pénétrer dans la partie bureau, où étaient accrochés les dessins. Derrière la table, un jeune homme était penché sur un ordinateur portable. Elle examina les dessins. Elle n'aurait pas su dire pourquoi elle regardait aussi intensément. Au-delà du plaisir, elle pénétrait dans une sorte d'état d'assimilation. Elle essayait d'absorber ce qu'elle voyait, pour l'emporter, s'en envelopper et y dormir. Il y avait tant à voir. A transformer en tissu organique, autrement dit en soi-même.

Elle retourna dans la pièce principale mais sans être en mesure de regarder les œuvres de la même manière avec ce type qui était là, qu'il la regarde ou pas. Il ne la regardait pas mais il était là, cinquante ans et le cuir tanné, photo d'identité monochrome, un peintre probablement, et elle quitta la pièce, et parcourut le corridor, où elle pressa le bouton de l'ascenseur.

Elle s'aperçut qu'elle n'avait pas pris le catalogue mais ne fit pas demi-tour. Elle n'avait pas besoin de catalogue. L'ascenseur arrivait en grinçant dans la cage. Rien ne se détachait dans cette œuvre, rien qui fût libre de résonances personnelles. Toutes les huiles et tous les dessins portaient le même titre. *Natura morta.* Jusqu'à cette expression de nature morte, qui la ramenait aux derniers jours de sa mère.

Il y avait des moments, dans la salle des paris sportifs, où, jetant un coup d'œil sur l'un des écrans, il n'aurait pas su dire si ce qu'il voyait était un fragment d'action en direct ou une rediffusion au ralenti. Cette défaillance aurait dû le troubler, une affaire de fonction cérébrale de base, une réalité opposée à une autre, mais tout cela lui semblait relever d'un problème de distinctions fallacieuses, le rapide et le lent, le maintenant et l'autrefois, et il buvait sa bière en écoutant les bruits qui se mêlaient.

Jamais il ne pariait sur de tels événements sportifs. C'était l'effet qu'ils exerçaient sur ses sens qui l'attirait ici. Tout se passait à distance, même le bruit le plus proche. La haute salle était faiblement éclairée, les hommes assis avaient la tête levée, les autres étaient debout ou allaient et venaient, et c'est de la tension furtive dans l'air que surgissent les cris, un cheval qui sort du peloton, un coureur qui arrive deuxième, et l'action passe au premier plan, de là-bas à ici, vie ou mort. Il aimait écouter l'explosion viscérale, les hommes qui se lèvent d'un bond, qui crient, la rauque salve des voix qui conféraient chaleur et émotion palpable à la torpeur assourdie de la salle. Puis c'était fini, en quelques secondes, et il aimait cela aussi.

Il montrait son argent dans la salle de poker. Les cartes tombaient au hasard, sans cause assignable, mais il demeurait l'agent du libre choix. La chance, le hasard, personne ne savait ce qu'il en était de ces choses. On ne pouvait que leur supposer une influence sur les événements. Il avait de la mémoire, du jugement, une aptitude à décider de ce qui est vrai, de ce qui est présumé, du moment où frapper, où s'effacer. Il était en possession d'une bonne dose de calme, d'isolement calculé, et il y avait une certaine logique sur laquelle se fonder. Terry Cheng disait que la seule logique dans le jeu était la logique de la personnalité. Mais le jeu avait une structure, des principes conducteurs, d'agréables interludes de logique rêvée quand le joueur sait que la carte dont il a besoin est celle qui va forcément tomber. Et puis, toujours, à l'instant crucial qui se répète à l'infini, une partie après l'autre, le choix du oui ou du non. Faire voir ou relancer, faire voir ou passer la main, la petite pulsation binaire située derrière les yeux, le choix qui te rappelle qui tu es. C'est à lui qu'il appartenait, ce oui ou ce non, et pas à un cheval en train de courir dans la boue quelque part dans le New Jersey.

Elle vivait dans la dimension de l'imminence perpétuelle.

Ils s'étreignaient, sans mot dire. Ensuite ils parlaient sur un mode mineur qu'imprégnait une nuance de tact. Ils passaient près de quatre jours ensemble avant de parler des choses importantes. C'était du temps perdu, destiné dès la première heure à demeurer sans mémoire. Elle se souvenait de la chanson. Ils passaient les nuits au lit avec les fenêtres ouvertes, le bruit de la circulation, les voix qui portaient, cinq ou six filles qui paradaient dans la rue à deux heures du matin en chantant une vieille ballade rock qu'elle fredonnait avec elles, doucement, amoureusement, mot pour mot, avec les mêmes accents, les mêmes pauses et les mêmes interruptions, détestant entendre les voix s'estomper. Les mots, les leurs, n'étaient pas beaucoup plus que des sons, courants de souffle informe, langage des corps. S'ils avaient de la chance il y avait un peu d'air, mais même dans la chaleur moite du dernier étage sous un toit goudronné elle laissait la climatisation éteinte. Il fallait qu'il sente de l'air véritable, disait-elle, dans une vraie chambre, avec le tonnerre qui grondait juste au-dessus.

Ces nuits-là, elle avait l'impression qu'ils tombaient hors du monde. Ce n'était pas une forme d'illusion érotique. Elle gardait sa distance, mais sereinement, avec maîtrise. Et lui se tenait séquestré, comme toujours, mais avec une dimension spatiale à présent, faite de kilométrage aérien et de noms de villes, une dimension de distance littérale entre lui et les autres.

Ils emmenèrent le petit dans un ou deux musées, puis elle les regarda lancer une balle de baseball dans le parc. Justin lançait très fort. Il ne perdait pas de temps. Il attrapait la balle en l'air, la prenait dans sa main nue, la replaçait d'un coup sec dans le gant, reculait et la lançait de toutes ses forces et puis, le coup d'après, peut-être un peu plus fort. Il était comme une machine à lancer pourvue de dents et de cheveux, réglée sur la vitesse maximale. Keith fut d'abord amusé, puis admiratif, puis intrigué. Il dit au gamin de se calmer, de se détendre. Il lui dit d'accompagner le lancer. Il y avait l'élan, le lâcher, l'accompagnement. Il lui dit qu'il creusait un trou dans la main de son paternel.

Elle tomba sur un tournoi de poker à la télé. Il était dans la pièce à côté, en train de passer au crible un véritable tombereau de courrier accumulé. Elle vit trois ou quatre tables, en plan éloigné, avec des spectateurs assis entre elles, regroupés çà et là dans une lugubre lumière bleuâtre. Les tables étaient légèrement surélevées, et les joueurs immergés dans une lueur fluorescente et courbés dans une tension mortelle. Elle ne savait ni où cela se passait, ni quand, et elle ne savait pas pourquoi la méthode habituelle ne s'appliquait pas, gros plans sur les pouces, les jointures, les cartes, les visages. Mais elle regardait. Elle coupa le son et observa les joueurs assis autour des tables tandis que la caméra balayait la salle et elle se rendit compte qu'elle s'attendait à apercevoir Keith. Les spectateurs étaient assis dans cette lumière d'un mauve glacial, incapables de voir grand-chose. Elle voulait voir son mari. La caméra capturait les visages de joueurs jusqu'alors tenus dans l'ombre, et elle les scruta l'un après l'autre. Elle s'imagina en personnage de dessin animé, en cinglée absolue, se précipitant dans la chambre de Justin, échevelée, et le tirant de son lit pour le poster devant l'écran, afin qu'il puisse voir son père, *Regarde*, à Rio, à Londres, ou à Las Vegas.

Assis à six ou sept mètres de là, dans la pièce à côté, son père lisait des relevés de banque et signait des chèques sur le bureau. Elle regarda encore un moment, le cherchant des yeux, et puis elle arrêta.

Ils parlaient le quatrième jour, assis dans le salon, tard, avec un taon collé contre le plafond.

“Il y a des choses que je comprends.

— Parfait.

— Je comprends qu'il y a des hommes qui ne sont qu'à moitié là. Ne disons pas des hommes. Disons des gens. Des gens qui sont plus ou moins obscurs par moments.

— Tu comprends ça.

— Ils se protègent de cette manière, eux-mêmes et les autres. Je comprends. Mais il y a l'autre chose et cette autre chose est la famille. Ce que je tiens à dire, c'est que nous avons besoin de rester ensemble, de maintenir la famille. Juste nous, nous trois, sur le long terme, sous le même toit, pas tous les jours de l'année ni même tous les mois mais avec l'idée que nous sommes permanents. En des moments comme maintenant, la famille est nécessaire. Tu ne penses pas ? Etre ensemble, rester ensemble ? C'est comme ça que nous survivons aux choses qui nous épouvantent.

— D'accord.

— Nous avons besoin l'un de l'autre. Juste des gens qui partagent le même air, c'est tout.

— D'accord, dit-il.

— Mais je sais ce qui est en train de se passer. Tu vas te laisser dériver, loin. J'y suis préparée. Tu resteras plus longtemps éloigné, tu dériveras quelque part. Je sais ce que tu veux. Ce n'est pas exactement que tu veux disparaître. C'est la chose qui y mène. Disparaître est la conséquence. A moins que ce ne soit le châtiment.

— Tu sais ce que je veux. Je ne sais pas. Tu sais.

— Tu veux tuer quelqu'un", dit-elle.

Elle ne le regarda pas, en disant ces mots.

"Tu en as envie depuis longtemps, dit-elle. Je ne sais pas comment ça marche ou ce qu'on ressent. Mais c'est une chose que tu portes en toi."

Maintenant qu'elle l'avait dit, elle n'était plus sûre de le penser vraiment. Mais elle était certaine qu'il n'avait jamais examiné l'idée en son for intérieur. Il l'avait dans la peau, peut-être une simple pulsation sur la tempe, la plus infime cadence dans une petite veine bleue. Elle savait qu'il y avait quelque chose qui devrait être satisfait, un sujet dont il fallait intégralement se défaire, et dont elle pensait qu'il était au cœur de son instabilité.

"Dommage que je ne puisse pas m'engager dans l'armée, dit-il. Trop vieux. Sinon je pourrais tuer sans pénalité et puis rentrer à la maison et être une famille."

Il buvait du scotch, à petites gorgées, sec, et souriait imperceptiblement de ce qu'il avait dit.

"Tu ne peux pas reprendre le boulot que tu faisais. Je le comprends bien.

— Le boulot. Le boulot n'était pas très différent de celui que je faisais avant que tout ça n'arrive. Mais c'était avant, maintenant c'est après.

— Je sais que la plupart des existences n'ont pas de sens. Je veux dire dans ce pays, qu'est-ce qui a un sens ? Je ne peux pas être assise ici et dire allons-nous-en un mois. Je ne vais pas me rabaisser à dire une chose de ce genre. Parce que c'est un autre monde, celui qui a un sens. Mais écoute-moi. Tu étais plus fort que moi. Tu m'as aidée à parvenir jusqu'ici. Je ne sais pas ce qui se serait passé.

— Je ne peux pas parler de la force. Quelle force ?

— C'est ce que je voyais et que je sentais. C'était toi qui étais dans la tour, mais c'était moi la cinglée. Et maintenant, merde, je ne sais pas."

Après un moment de silence, il dit : "Je ne sais pas non plus", et ils rirent.

"Je t'ai regardé dormir. Je sais que ça paraît bizarre. Mais ce n'était pas bizarre. Rien que d'être qui tu étais, d'être vivant et d'être revenu avec nous. Je te regardais. J'avais l'impression de te connaître comme jamais je ne t'avais connu. Nous étions une famille. Voilà ce que c'était. C'est comme ça que nous faisions.

— Ecoute, fais-moi confiance.

— D'accord.

— Je ne suis pas prêt à faire quoi que ce soit de permanent, dit-il. Je m'en vais un moment, je reviens. Je ne vais pas disparaître. Je ne vais rien faire d'extrême. Je suis ici en ce moment et je reviendrai. Tu veux que je revienne. C'est bien ça ?

— Oui.

— M'en aller, revenir. Aussi simple que ça.

— Il y a de l'argent qui arrive, dit-elle. La vente est bientôt terminée.

— De l'argent qui arrive.

— Oui", dit-elle.

Il l'avait aidée à régler les détails de la transaction concernant l'appartement de sa mère. Il avait lu des contrats, aménagé des clauses et envoyé des instructions par e-mail depuis un casino dans une réserve indienne, où se déroulait un tournoi.

"De l'argent qui arrive, dit-il encore. L'éducation du gosse. D'ici à l'université, onze ou douze ans, des quantités criminelles d'argent. Mais ce n'est pas ce que tu veux dire. Tu veux dire que nous avons les moyens d'éponger des pertes énormes que je pourrais faire dans des salles de jeu. Cela n'arrivera pas.

— Si tu le crois. Je le crois.

— Ce n'est pas arrivé et ça n'arrivera pas, dit-il.

— Et Paris ? Ça va se faire ?

— C'est devenu Atlantic City. Dans un mois.

— Qu'est-ce que le gardien pense des visites conjugales ?

— Tu n'as pas envie de venir.

— Non. Tu as raison, dit-elle. Parce qu'y penser est une chose. Le voir me déprimerait. Des gens autour d'une table qui tapent le carton indéfiniment. Semaine après semaine. Je veux dire, prendre l'avion pour aller jouer aux cartes. Je veux dire, en dehors de l'absurdité, de la folie psychotique totale, est-ce que tout ça n'est pas vraiment très triste ?

— Tu l'as dit toi-même. La plupart des vies n'ont aucun sens.

— Mais n'est-ce pas démoralisant ? Est-ce que ça ne t'épuise pas ? Ça doit te ronger le moral. Tu sais, j'ai regardé la télé hier soir. Comme une séance en enfer. Tic toc tic toc. Qu'arrive-t-il après des mois entiers de ça ? Ou des années. Tu deviens qui ?"

Il la regarda et acquiesça comme s'il était d'accord puis continua d'acquiescer, portant le geste à un autre niveau, une sorte de sommeil profond, une narcolepsie, les yeux ouverts, l'esprit scellé.

Il y avait une chose définitive, trop évidente pour qu'on eût besoin de la dire. Elle voulait être en sécurité dans le monde et ce n'était pas son cas à lui.

XIII

Lorsqu'elle avait reçu une convocation pour être juré, quelques mois plus tôt, qu'elle s'était présentée au tribunal de district des Etats-Unis avec cinq cents autres jurés potentiels, et qu'elle avait appris que le procès pour lequel ils étaient ainsi rassemblés concernait une avocate accusée de soutenir la cause du terrorisme, elle avait rempli les quarante-cinq pages du questionnaire de vérités, de demi-vérités, et de mensonges convaincus.

Depuis un certain temps, à l'époque, elle se voyait proposer des livres sur le terrorisme et des thèmes associés. Chaque sujet semblait s'y rapporter. Elle n'aurait pas su dire pourquoi elle avait tellement souhaité travailler sur ce genre de livres pendant les semaines et les mois où elle avait perdu le sommeil et où le couloir de l'immeuble résonnait des chants de mystiques du désert.

Le procès se déroulait en ce moment mais elle ne le suivait pas dans le journal. Elle aurait été le juré cent vingt et un, dispensée de service au motif de ses réponses écrites. Elle ignorait si c'étaient les vraies réponses ou les mensonges qui en étaient la cause.

Elle savait que l'avocate, une Américaine, était liée à un imam radical qui purgeait une peine de prison à vie pour activité terroriste. Elle savait que l'homme était aveugle. Tout le monde le savait. Il était le Cheikh Aveugle. Mais elle ne connaissait pas le détail des accusations portées contre l'avocate parce qu'elle ne lisait pas les comptes rendus dans le journal.

Elle travaillait à un livre sur les premières explorations polaires et à un autre sur l'art de la fin de la Renaissance et elle comptait de sept en sept à rebours depuis cent.

Mort de sa propre main.

Depuis dix-neuf ans, depuis qu'il s'était tué d'une balle de fusil, elle se répétait périodiquement ces mots, *in memoriam*, des mots qui revêtaient une tonalité archaïque. Elle les imaginait gravés sur une antique pierre tombale inclinée, dans un cimetière abandonné quelque part en Nouvelle-Angleterre.

Les grands-parents remplissent l'office sacré. Ils sont ceux qui ont les souvenirs les plus reculés. Mais les grands-parents sont presque tous disparus. Justin n'en a plus qu'un seul, le père de son père, un homme peu porté à voyager, dont les souvenirs se sont embourbés dans le circuit étroit de ses jours, au-delà du rayon d'accès de l'enfant. L'enfant devra grandir dans l'ombre profonde de ses propres souvenirs. Elle-même, mère-fille, se trouve quelque part à mi-chemin de la série, sachant qu'un souvenir au moins est irrémédiablement sûr, à savoir le jour qui a marqué sa prise de conscience de qui elle est et de sa manière de vivre.

Son père n'était pas enterré dans un cimetière en plein vent sous des arbres dénudés. Jack était dans une niche de marbre tout en haut d'un mur, dans un vaste mausolée à l'extérieur de Boston, avec plusieurs centaines d'autres, tous rangés dans des tiroirs, du sol au plafond.

Elle tomba sur la notice nécrologique tard dans la soirée, en feuilletant un journal vieux d'une semaine.

On meurt tous les jours, avait dit Keith une fois. Ça n'a vraiment rien de nouveau.

Il était retourné à Las Vegas à présent et elle était au lit, à feuilleter le journal et lire la notice. L'impact de cette dernière ne la frappa pas tout de suite. Un homme du nom de David Janiak, trente-neuf ans. Le compte rendu de sa vie et de sa mort n'était qu'un bref aperçu, rédigé à la hâte pour passer le jour même, se dit-elle. Elle pensa qu'il y aurait un récit plus complet dans le journal du lendemain. Il n'y avait pas de photo, ni de l'homme ni des actes qui avaient un moment fait de lui un personnage. Ces actes étaient évoqués dans une simple phrase, signalant qu'il s'agissait de l'artiste de rue connu comme étant l'Homme qui Tombe.

Elle laissa glisser le journal par terre et éteignit la lumière. Elle était couchée dans son lit, la tête redressée sur deux oreillers. Une alarme de voiture retentit un peu plus loin dans la rue. Tendant le bras vers l'oreiller le plus proche, elle le fit tomber sur le journal puis se recoucha, le souffle régulier, les yeux toujours ouverts. Au bout d'un moment elle ferma les yeux. Le sommeil était là quelque part, par-delà la courbe de la terre.

Elle attendit que l'alarme cesse de retentir, puis ralluma la lumière, se leva et alla dans la salle de séjour. Il y avait un tas de journaux dans un panier. Elle chercha le journal vieux de cinq jours, qui était celui du lendemain, mais ne le trouva pas, ni entier ni incomplet, lu ou pas lu. Elle s'assit dans le fauteuil à côté du panier, dans l'attente qu'une chose se produise ou cesse de se produire, un bruit, un ronronnement, un appareil électrique, avant d'aller s'asseoir devant l'ordinateur dans la pièce voisine.

La recherche avancée ne prit qu'un instant. Et voilà qu'il apparaissait, David Janiak, texte et images.

Suspendu au balcon d'un immeuble de Central Park ouest.

Suspendu au toit d'un ensemble de lofts dans le quartier de Williamsburg, à Brooklyn.

Suspendu aux cintres, à Carnegie Hall, pendant un concert, au-dessus des cordes en émoi.

Suspendu au-dessus de l'East River, depuis le pont de Queensboro.

Assis sur le siège arrière d'une voiture de police.

Debout sur la rambarde d'une terrasse.

Suspendu au clocher d'une église dans le Bronx.

Mort à trente-neuf ans, apparemment de causes naturelles.

Il avait été arrêté plusieurs fois pour infraction à la loi, prise de risques dangereux et défi à l'ordre public. Il avait été tabassé par une bande devant un bar du Queens.

Elle cliqua vers la transcription d'une table ronde qui s'était tenue à la New School. L'Homme qui Tombe, Exhibitionniste Sans Cœur ou Courageux Chroniqueur de l'Age de la Terreur.

Elle lut quelques commentaires puis cessa de lire. Elle cliqua vers des articles en russe et autres langues slaves. Elle resta un moment là, le regard perdu sur le clavier.

Photographié en train de s'équiper d'un harnais de sécurité, un collaborateur s'efforçant de le protéger de la caméra.

Photographié le visage en sang dans un hall d'hôtel.

Suspendu au parapet d'un taudis à Chinatown.

Toutes ses chutes se faisaient tête la première, aucune n'était jamais annoncée à l'avance. Les représentations n'étaient pas conçues pour être enregistrées photographiquement. Les images qui existent ont été prises par des gens qui se trouvaient sur place ou par un professionnel alerté par un passant.

Etudes de la comédie et de la dramaturgie à l'Institute for Advanced Theatre Training à Cambridge, Massachusetts. Sa formation inclut un stage de trois mois à l'école du Théâtre d'art de Moscou.

Mort à trente-neuf ans. Aucun signe suspect. Maladie de cœur et tension trop élevée.

Travail sans poulies, câbles ni filins. Harnais de sécurité seulement. Et pas de corde élastique pour absorber le choc des chutes longues. Simple système de courroies sous la chemise et le costume bleu, avec une lanière sortant par une jambe de pantalon et solidement arrimée au niveau de départ de sa chute.

Non-lieu pour la plupart des accusations. Amendes et avertissements.

Elle tomba sur une autre explosion de langues étrangères, des mots ornés d'accents aigus, circonflexes, et d'autres signes dont elle ne se rappelait pas les noms.

Elle fixait l'écran dans l'attente d'un bruit dans la rue, coup de frein, alarme de voiture, qui lui ferait quitter la pièce et retourner se coucher.

Son frère, Roman Janiak, ingénieur en logiciels, le seconde pour la plupart des sauts, ne révélant sa présence à l'assistance que lorsque c'est inévitable. Existence, selon lui, d'un projet de chute finale, ne prévoyant pas de harnais de sécurité.

Elle songea que ce pourrait être le nom d'une carte maîtresse dans un jeu de tarots, l'Homme qui Tombe, le nom en caractères gothiques, la silhouette en chute libre dans un ciel d'orage nocturne.

Sa position durant la chute est un point de désaccord, la position adoptée dans son état en suspens. Cette position visait-elle à refléter la posture spécifique d'un homme qui avait été photographié dans sa chute du haut de la tour nord du World Trade Center, tête la première, bras le long du corps, une jambe repliée, un homme se découpant à jamais en chute libre sur l'arrière-plan des panneaux verticaux de la tour ?

La chute libre est la chute d'un corps dans l'atmosphère sans système de ralentissement tel qu'un parachute. Il s'agit du mouvement idéal de chute d'un corps n'étant soumis qu'au champ de gravité de la terre.

Elle ne lut pas plus loin mais sut aussitôt à quelle photographie se référait l'article. Elle avait ressenti un coup quand elle l'avait vue pour la première fois, le lendemain, dans le journal. La masse des tours emplissait le cadre de l'image. L'homme qui tombait, les tours contiguës, pensait-elle, derrière lui. Les énormes lignes dressées, les colonnes de bandes verticales. L'homme avec du sang sur sa chemise, pensait-elle, ou des marques de brûlure, et l'effet des colonnes derrière lui, la composition, pensait-elle, des bandes plus sombres pour la tour la plus proche, celle du nord, plus claires pour l'autre, et la masse, la masse énorme, avec l'homme presque exactement centré entre les rangées de bandes sombres et claires. De tout son long, en chute libre, pensait-elle, et cette image lui avait crevé la tête et le cœur, mon Dieu, c'était un ange en chute libre et sa beauté était terrifiante.

Elle cliqua encore, et la photo était là. Elle détourna les yeux, fixa le clavier. Il s'agit du mouvement idéal de chute d'un corps.

Les premières observations tendaient vers des causes naturelles, en attendant l'autopsie et l'analyse toxicologique. Souffrait de dépression chronique à cause d'un problème rachidien.

Si cette photographie était un élément de ses représentations, il n'en avait rien dit lorsque des journalistes l'avaient questionné à la suite d'une de ses arrestations. Il n'avait rien dit quand on lui avait demandé s'il avait perdu quelqu'un de proche lors des attentats. Il n'avait aucun commentaire à fournir aux médias sur aucun sujet.

Suspendu à la balustrade d'un jardin sur le toit à TriBeCa.

Suspendu à une passerelle piétonne au-dessus de FDR Drive.

LE MAIRE TROUVE QUE L'HOMME QUI TOMBE
EST UN CRÉTIN

Refus d'une invitation à tomber du sommet du Guggenheim Museum à des moments programmés sur une période de trois semaines. Refus d'invitations à s'exprimer dans le cadre de la Japan Society, de la New York Public Library, et de diverses organisations culturelles en Europe.

Ses chutes étaient douloureuses et extrêmement dangereuses du fait de l'équipement rudimentaire qu'il utilisait, a-t-on dit.

C'est son frère, Roman Janiak, ingénieur en logiciels, qui a découvert le corps. L'office de médecine légale de Saginaw County conclut provisoirement à un incident coronarien, sous réserve d'autopsie.

Formation comprenant six jours de classe par semaine, à Cambridge comme à Moscou. Le diplôme consiste en un spectacle de présentation, à New York, devant des directeurs de casting, des directeurs artistiques, des agents et divers autres professionnels. David Janiak, dans le rôle d'un nain brechtien, agresse un autre acteur, apparemment pour essayer de lui arracher la langue, lors d'une scène censée être une improvisation structurée.

Elle cliqua plus loin. Elle essayait de relier cet homme au moment où elle s'était trouvée sous le métro aérien, presque trois ans plus tôt, à regarder quelqu'un se préparer à tomber d'une passerelle d'entretien au passage du train. Il n'y avait pas de photos de cette chute. C'était elle la photo, la surface photosensible. Ce corps anonyme qui tombait, c'était à elle qu'il incombait de l'enregistrer et de l'assimiler.

Au début de 2003, commence à réduire le nombre de ses apparitions et à ne plus se manifester que dans des quartiers excentrés. Puis les représentations cessent.

S'endommage gravement le dos lors d'une des chutes au point de devoir être hospitalisé. Arrestation par la police à l'hôpital pour obstruction à la circulation automobile et création d'une situation dangereuse ou physiquement agressive.

Projet d'un ultime saut, dans un futur indéfini, n'incluant pas de harnais, d'après son frère Roman Janiak, quarante-quatre ans, qui s'est exprimé auprès d'un journaliste peu après avoir identifié le corps.

Les élèves de l'Institut créent leur propre vocabulaire de mouvement et leur programme de formation qu'ils poursuivront tout au long de leur carrière. Le programme d'étude comprend des exercices psychophysiques, la biomécanique de Meyerhold, la formation de Grotowski, l'enseignement plastique de Vakhtangov, acrobatie individuelle et en équipe, danse classique et historique, exploration des styles et des genres, eurythmie de Dalcroze, travail d'impulsion, mouvement ralenti, escrime, combat de scène avec et sans armes.

Les motifs qui ont conduit David Janiak dans un motel en bordure d'une petite ville, à plus de huit cents kilomètres du World Trade Center, restent obscurs.

Elle fixait le clavier. Cet homme lui échappait. Tout ce qu'elle savait, c'était ce qu'elle avait vu et ressenti ce jour-là près de la cour d'école où un garçon dribblait avec un ballon de basket et où un enseignant avait un sifflet au bout d'une ficelle. Elle pouvait penser qu'elle connaissait ces gens, et tous les autres qu'elle avait vus et entendus cet après-midi-là, mais pas l'homme qui se tenait au-dessus d'elle, bien visible, surgi là.

Elle finit par s'endormir sur le côté du lit de son mari.

XIV

Il y avait de rares moments, entre deux mains, où il écoutait, assis là, le bruit environnant. Et chaque fois il s'étonnait de l'effort qu'on doit fournir pour entendre ce qui est là en permanence. Les jetons étaient là. Derrière le bruit ambiant et les voix occasionnelles, il y avait le bruit des jetons lancés, des jetons ratissés, quarante ou cinquante tablées de gens qui empilaient des jetons, de doigts en train de lire et compter, d'équilibrer les piles, les jetons de terre cuite aux bords lisses, frottements, glissements, cliquètements, des jours et des nuits de lointain chuintement, comme un froissement d'élytres.

Il s'installait dans quelque chose à sa mesure. Il n'était jamais davantage lui-même que dans ces salles où un donneur annonçait une place libre à la table dix-sept. Il regardait des dix médiocres en attendant que ça change. C'étaient les moments où il n'y avait rien en dehors de là, pas une étincelle d'histoire ou de mémoire qu'il pût inconsciemment faire surgir dans le défilement routinier des cartes.

Il parcourait la vaste allée centrale avec dans l'oreille le marmonnement des croupiers aux tables de dés, un cri de temps en temps du côté des paris sportifs. Parfois un client de l'hôtel passait en tirant sa valise à roulettes, avec des airs d'être égaré en plein Swaziland. Aux heures de fermeture il parlait avec des donneurs aux tables de black-jack désertes, toujours des femmes, en attente comme dans une zone d'où toute sensation aurait été purgée. Il lui arrivait de jouer un peu, entre deux bavardages, se faisant un devoir de ne pas s'intéresser à la femme elle-même, seulement à sa conversation, des fragments de vie extérieure, ses problèmes de voiture, les leçons d'équitation de sa fille Nadia. Il était l'un d'eux, en un sens un membre du personnel du casino, en train de passer de futiles moments de vie sociale avant que l'action ne reprenne.

Tout s'écroulerait à la fin de la nuit, perte ou gain, mais cela faisait partie du processus, la carte qu'on tire, la carte fleuve, la femme aux yeux qui clignent. Les jours s'estompent, les nuits s'étirent, guetter et relancer, s'éveiller et dormir. Un jour la femme qui clignait des yeux disparut et on n'en entendit plus parler. Elle était juste une poche d'air rance. Il ne pouvait pas la situer ailleurs, arrêt de bus, centre commercial, et ne voyait pas l'intérêt d'essayer.

Il se demandait s'il n'était pas en train de se transformer en une sorte de mécanisme autonome, de robot humanoïde capable de comprendre deux cents ordres vocaux, de voir loin, sensible au toucher, mais totalement, rigoureusement contrôlable.

Il flaire un as et une petite suite de l'autre côté de la table, l'homme aux lunettes réfléchissantes.

Ou un chien-robot avec des senseurs à infrarouge et une touche pause, obéissant à soixante-quinze ordres vocaux.

Relancer avant le flop. Frapper vite et fort.

Il n'y avait pas de salle de gym dans son hôtel. Il en trouva une pas trop loin et s'y rendait quand il avait le temps. Personne n'utilisait le rameur. Il détestait littéralement la machine, elle le mettait en colère, mais il ressentait l'intensité de l'exercice, le besoin de tirer et de bander ses forces, de tendre son corps contre une sale machine lisse et bête, toute d'acier et de câbles.

Il loua une voiture et fit un tour dans le désert, n'entamant le retour qu'à la nuit tombée, puis gravissant une côte jusqu'à un plateau. Il lui fallut un moment pour comprendre ce qu'il regardait, à des kilomètres de là, la ville qui flottait sur la nuit, une jonchée de lumière fébrile si rapide et inexplicable qu'on aurait dit une sorte de délire. Il se demanda pourquoi il ne s'était jamais représenté lui-même au milieu d'un truc pareil, en train d'y vivre plus ou moins. Il vivait dans des salles, voilà pourquoi. Il vivait et travaillait dans telle ou telle pièce. Il ne se déplaçait que de façon marginale, d'une pièce à une autre. Il faisait des allers-retours en taxi à partir de son hôtel, un lieu dépourvu de mosaïques et de chauffe-serviettes, et jusqu'alors, en regardant cette large bande de néon qui tremblait dans le désert, il ne s'était pas rendu compte de l'étrangeté de la vie qu'il menait. Mais seulement d'ici, loin en dehors. Au cœur de la chose, dans les yeux perçants autour de la table, il n'y avait rien que de normal.

Il évitait Terry Cheng. Il ne voulait ni lui parler, ni l'écouter, ni regarder sa cigarette se consumer.

Le valet d'atout ne tombait pas.

Il n'écoutait pas ce qui se disait autour de lui, l'occasionnel rebond de dialogue, d'un joueur à un autre. Un jeu neuf apparaissait sur la table. Par moments il était recru de fatigue, quasiment moribond, balayant la table du regard avant qu'on ne distribue les cartes.

Tous les jours il avait pensé à Florence Givens. Encore maintenant, presque tous les jours, aujourd'hui, dans un taxi, les yeux sur une affiche. Jamais il ne l'avait appelée. Jamais il n'avait envisagé de traverser le parc pour la revoir, parler un peu, savoir comment elle allait. Il y avait songé de manière lointaine, comme à un paysage, comme on songe à retourner dans la maison où l'on a grandi et à parcourir les chemins creux et traverser la haute prairie, le genre de chose qu'on sait qu'on ne fera jamais.

Finalement c'était ce qu'il était qui comptait, pas la chance ou la pure et simple compétence. C'était la force d'esprit, la supériorité mentale, mais pas seulement. Il y avait quelque chose de plus difficile à nommer, une restriction des besoins ou des désirs, ou la manière dont le caractère d'un homme détermine sa ligne de mire. Ces choses-là le feraient gagner, mais sans excès, pas des gains d'une telle ampleur qu'il puisse déraper dans la peau de quelqu'un d'autre.

Carlo le nain est revenu, et il s'en réjouit, tout en le regardant prendre place deux tables plus loin. Mais il ne parcourt pas la salle du regard à la recherche de Terry Cheng pour échanger avec lui des sourires désabusés.

Des hommes aux bâillements stylisés, bras levés en l'air, des hommes au regard perdu dans l'espace inerte.

Terry était peut-être à Santa Fe ou Sydney ou Dallas. Terry était peut-être dans sa chambre, mort. Il avait fallu à Terry deux jours pour comprendre que l'installation au bout de la longue pièce, marquée "voilage" et "occultant", était faite pour permettre de tirer les rideaux à l'autre bout de la pièce, pour ouvrir et fermer le voilage interne ou le rideau opaque externe. Terry avait essayé un jour d'ouvrir les rideaux à la main puis s'était rendu compte que peu importait qu'ils soient ouverts ou fermés. Il n'y avait rien au-dehors qu'il eût besoin de connaître.

Il n'avait jamais parlé à Lianne de ses traversées du parc. Son histoire avec Florence avait été brève, peut-être quatre ou cinq rencontres sur une période de quinze jours. Est-ce possible, rien que cela ? Il essayait de compter les fois, assis dans un taxi à un feu rouge, les yeux fixés sur une affiche. Tout cela formait à présent une histoire continue, seulement dotée de l'imperceptible relief d'une chose sentie et préservée. Il la voyait dans la tour telle qu'elle l'avait décrit, en train de descendre à marche forcée jusqu'en bas de l'escalier, et il croyait parfois s'y voir lui-même, par éclats dissociés, un faux souvenir, ou trop fuyant et trop déformé pour être faux.

L'argent comptait mais pas tellement. C'était le jeu qui comptait, le contact du feutre sous les mains, la façon dont le donneur jetait une carte, donnait la suivante. Il ne jouait pas pour l'argent. Il jouait pour les jetons. La valeur de chaque jeton n'avait de sens que flou. C'était le petit disque qui comptait, la couleur elle-même. Il y avait l'homme qui riait à l'autre bout de la salle. Il y avait le fait qu'ils seraient tous morts un jour. Il avait envie de ratisser les jetons et de les empiler. Ce qui comptait c'était le jeu, l'empilement des jetons, l'œil qui compte, le jeu et la danse de la main et de l'œil. Il s'identifiait à ces choses.

Il réglait le niveau de résistance très haut. Il ramait fort, bras et jambes, mais les jambes surtout, en essayant de ne pas rentrer les épaules, et dans la détestation de chaque effort. Parfois il n'y avait personne d'autre dans l'établissement, ou peut-être quelqu'un sur un tapis de marche rapide, les yeux sur un écran de télé. Il utilisait toujours le rameur. Il ramait et il se douchait et les douches sentaient le moisi. Il cessa d'y aller au bout de quelque temps mais il y retourna par la suite, réglant le niveau plus haut encore, ne se posant qu'une seule fois la question de savoir ce qui l'obligeait à faire ça.

Il regardait une fausse suite. Il pensa un moment qu'il pourrait se lever et partir. Sortir et prendre le premier avion, faire son sac et partir, prendre une place de fenêtre, baisser le store et s'endormir. Il posa ses cartes et se carra sur son siège. Lorsqu'un nouveau jeu de cartes apparut sur la table, il était prêt à rejouer.

Quarante tables, neuf joueurs par table, d'autres qui attendaient à la balustrade, des écrans en hauteur sur trois murs, du foot et du baseball, mais strictement pour l'ambiance.

VOILAGE et OCCULTANT.

Il ne voulait pas écouter Terry Cheng faire son numéro dans la peau de son nouveau personnage, pérorer près de la cascade bleue, trois ans après les avions.

Des hommes plus âgés, visage buriné, paupières mi-closes. Les reconnaîtrait-il s'il les voyait dans un snack-bar, en train de prendre leur petit-déjeuner à la table voisine ? De longues existences économes de mouvement, plus économes encore de mots, lancer l'enjeu, voir la relance, deux ou trois visages de ce type, chaque jour, des hommes presque impossibles à remarquer. Mais qui conféraient au jeu sa place au sein du temps, dans la tradition du visage impénétrable du poker et de la main du mort, et un souffle de dignité.

La cascade était bleue à présent, ou peut-être l'avait-elle toujours été, ou alors c'était une autre cascade, dans un autre hôtel.

Rien que pour se rendre capable d'écouter, il faut casser la structure minérale de sa propre routine en pierre. Et voilà, le cliquètement des jetons, jetés et éparpillés, les joueurs et les donneurs, la masse et la pile, ce léger tintement tellement lié aux circonstances qu'il se tient en dehors de l'ambiance sonore, dans ses propres courants aériens, et nul ne l'entend que vous.

Voilà Terry qui se traîne dans une allée latérale à trois heures du matin et ils échangent à peine un regard et Terry Cheng dit : "Je dois regagner mon cercueil avant le lever du jour."

La femme originaire de dieu sait où avec sa casquette en cuir noir, Bangkok ou Singapour ou LA. Elle porte la casquette un peu de guingois et il sait qu'ils sont tellement neutralisés par le martèlement régulier d'annonce et de relance qu'il ne se passe pas grand-chose, autour de la table, dans l'art des fantasmes de baise, aussi populaire soit-il.

Une nuit, il s'assit dans sa chambre et effectua ses vieux exercices, l'ancien programme de rééducation, courber le poignet vers le sol, courber le poignet vers le plafond. Le service en chambre s'arrêtait à minuit. La télé de nuit passait du porno soft avec des femmes nues et des hommes sans pénis. Il n'était ni perdu ni en proie à l'ennui ni fou. Le tournoi de jeudi commençait à trois heures, inscriptions à midi. Le tournoi du vendredi commençait à midi, inscriptions à neuf heures.

Il devenait l'air qu'il respirait. Il se déplaçait dans une marée de bruit et de paroles faite à ses dimensions. Le coup d'œil sous le pouce sur l'as-dame. Le long des allées, le cliquètement des roues de roulette. Il s'installait dans la salle des paris sportifs sans faire attention aux scores ni aux chances ni aux répartitions de points. Il regardait les femmes en minijupe qui servaient les boissons. Dehors, sur le Strip, une chaleur lourde et accablante. Il passa la main huit ou neuf fois de suite. Il était dans la boutique de sport à se demander ce qu'il pourrait acheter pour le petit. Il n'y avait pas de jours ou de moments, seulement le programme des tournois. Il ne gagnait pas assez d'argent pour justifier cette vie d'un point de vue pratique. Mais ce n'était pas nécessaire. Cela aurait dû l'être mais ne l'était pas, et cela seul comptait. Ce qui comptait, c'était justement que rien ne comptait. Que rien d'autre ne comptait. Cela seul avait une force contraignante. Il passa la main encore six fois, puis se lança tête la première. Les saigner. Leur faire répandre leur précieux sang de perdants.

C'étaient les jours d'après et maintenant les années, mille rêves agités, l'homme pris au piège, les membres bloqués, le rêve de paralysie, l'homme qui étouffe, le rêve d'asphyxie, le rêve d'impuissance.

Un nouveau jeu apparut sur la table.

La fortune favorise les braves. Il ne connaissait pas l'original latin du vieil adage et en avait honte. C'était ce qui lui avait toujours manqué, cette supériorité des savoirs inattendus.

Elle était encore une fillette, encore la fille de son père, et il buvait un martini Tanqueray. Il l'avait laissée ajouter un zeste de citron, en lui donnant des instructions comiquement détaillées. L'existence humaine, tel était son sujet ce soir, sur la terrasse d'une maison de guingois, chez quelqu'un à Nantucket. Cinq adultes, la fillette en retrait. L'existence humaine devait forcément avoir une source plus profonde que nos propres fluides poisseux. Poisseux ou rances. Il fallait qu'il y eût une force derrière cela, un être fondamental qui était, est et sera à jamais. Elle aimait comme ça sonnait, comme un hymne rythmé, et elle y songeait à présent, seule, devant son café et son pain grillé, et aussi à autre chose, l'existence qui bourdonnait dans les mots eux-mêmes, était, est, et comme le vent froid mourait à la tombée du jour.

Les gens lisaient le Coran. Elle était au courant pour trois personnes. Deux avec qui elle avait parlé, et une troisième dont elle avait entendu parler. Elles avaient acheté des traductions du Coran en anglais et essayaient ardemment d'y apprendre quelque chose, d'y trouver un enseignement susceptible de les aider à réfléchir plus en profondeur à la question de l'islam. Elle ne savait pas si ces gens persistaient dans leur effort. Elle pouvait s'imaginer faisant la même chose, l'action déterminée qui se délite en geste vide. Mais peut-être persistaient-ils. Peut-être étaient-ce des personnes sérieuses. Elle en connaissait deux, mais pas bien. L'une, médecin, récitait la première ligne du Coran dans son bureau.

Ce Livre ne doit pas être mis en doute.

Elle doutait des choses, elle avait ses doutes. Elle fit une longue promenade un jour, vers le nord, jusqu'à East Harlem. Son groupe lui manquait, le rire et la conversation entrecroisée, mais elle savait depuis le début que ce n'était pas une simple promenade, une affaire de souvenirs de moments et de lieux. Elle pensait au silence résolu qui s'abattait sur la pièce quand les membres du groupe prenaient leur stylo pour se mettre à écrire, oubliant la clameur qui les entourait, les rappeurs au bout du couloir, d'âge à peine scolaire, qui travaillaient leurs textes, ou les ouvriers qui maniaient la perceuse et le marteau à l'étage au-dessus. Elle était là pour chercher quelque chose, une église, près du centre socioculturel, catholique, pensait-elle, et peut-être était-ce l'église où allait autrefois Rosellen S. Elle n'était pas sûre mais pensait que c'était peut-être celle-là, voulait que ce soit celle-là, disait que c'était celle-là. Les visages lui manquaient. Ton visage est ta vie, lui disait sa mère. Les voix lui manquaient, franches, mais qui commençaient à se déformer et s'éteindre, des vies qui rétrécissaient en un chuchotement.

Elle avait une morphologie normale. Elle aimait ce mot. Mais qu'y a-t-il à l'intérieur de la forme et de la structure ? Cet esprit et cette âme, les siens et ceux de tout le monde, s'obstinent à rêver l'inaccessible. Cela signifie-t-il qu'il y a là quelque chose, à la limite de la matière et de l'énergie, une force responsable de la nature, de la vigueur de notre vie à partir de l'esprit, l'esprit en petits cillements de pigeon qui élargissent la surface de l'être, jusqu'au-delà de la logique et de l'intuition ?

Elle voulait ne pas croire. Elle était une infidèle en langage géopolitique courant. Elle se rappelait son père, comme le visage de Jack s'empourprait, semblait bourdonner de courant électrique après une journée au soleil. Regarde autour de nous, là, là-haut, l'océan, le ciel, la nuit, et elle y réfléchissait, devant son café et son pain grillé, à sa certitude que Dieu emplissait le temps et l'espace de pur esprit, faisait luire les étoiles. Jack était un architecte, un artiste, un homme triste, pensait-elle, pendant la majeure partie de sa vie, et c'était le genre de tristesse qui aspire à quelque chose de vaste et d'intangible, à l'unique réconfort capable de dissoudre sa dérisoire infortune.

Mais c'était de la connerie, non, les ciels nocturnes et les étoiles d'inspiration divine. Une étoile brille de son propre éclat. Le soleil est une étoile. Elle songea à Justin l'avant-veille au soir, qui psalmodiait ses leçons. Cela signifiait qu'il s'ennuyait, seul, dans sa chambre, et qu'il inventait des chansons monotones d'addition et de soustraction, de présidents et de vice-présidents.

D'autres lisaient le Coran, elle allait à l'église. Elle prenait un taxi jusqu'à East Harlem, des jours ordinaires, deux ou trois fois par semaine, et elle s'asseyait dans l'église presque vide, l'église de Rosellen. Elle suivait les autres quand ils se levaient et s'agenouillaient, et elle regardait le prêtre célébrer la messe, le pain et le vin, le corps et le sang. Elle ne croyait pas à ça, à la transsubstantiation, mais elle croyait à quelque chose, redoutant à demi que cela ne la submerge.

Elle courait le long du fleuve, dans la première lumière du matin, avant que le gosse ne se réveille. Elle envisageait de s'entraîner pour le marathon, pas pour cette année mais l'an prochain, la souffrance et la rigueur, la course de fond comme effort spirituel.

Elle imaginait Keith avec une call-girl dans sa chambre, baisant en régime automatique.

Après la messe elle essayait d'attraper un taxi. Les taxis étaient rares par ici et le bus prenait une éternité et elle n'était pas prête encore à prendre le métro.

Ce Livre ne doit pas être mis en doute.

Elle était coincée avec ses doutes mais elle aimait être assise dans l'église. Elle y allait de bonne heure, avant le début de la messe, pour être seule un moment, pour sentir le calme qui marque une présence en dehors de la ritournelle continue de l'esprit en veille. Ce qu'elle ressentait n'avait rien à voir avec un dieu, c'était seulement une perception des autres. Les autres nous rapprochent. L'église nous rapproche. Que ressentait-elle ici ? Elle ressentait les morts, les siens et d'autres, inconnus. Voilà ce qu'elle ressentait toujours dans les églises, dans les grandes cathédrales enflées d'Europe, dans une pauvre petite église paroissiale comme celle-ci. Elle ressentait les morts dans les murs, depuis des décennies et des siècles. Cela n'impliquait pas de frisson démoralisant. C'était un réconfort, de sentir leur présence, les morts qu'elle avait aimés et tous les autres, sans visages, qui avaient rempli mille églises. Elles avaient apporté de l'intimité et de la confiance, les ruines humaines qui gisent dans des cryptes et des caveaux ou qui sont enterrées dans les cimetières. Elle s'asseyait et attendait. Bientôt quelqu'un entrerait et passerait devant elle dans la nef. Elle était toujours la première, toujours assise vers le fond, respirant les morts dans la cire des cierges et l'encens.

Elle pensait à Keith et puis il appela. Il dit qu'il pourrait rentrer passer quelques jours à la maison dans huit ou dix jours et elle dit d'accord, très bien.

Elle voyait ses cheveux commencer à grisonner à la racine. Elle ne les teindrait pas. Dieu, pensait-elle. Qu'est-ce que cela signifie de dire ce mot ? Es-tu née avec Dieu ? Si tu n'as jamais entendu le mot ni observé le rituel, sens-tu en toi le souffle vivant, en ondes cérébrales ou en battements de cœur ?

Sa mère avait une crinière de cheveux blancs à la fin, le corps lentement brisé, tourmenté par des attaques cérébrales, du sang dans les yeux. Elle dérivait dans une vie d'esprit. Elle était désormais une femme-esprit, à peine capable d'émettre un son qui puisse passer pour un mot. Elle gisait rapetissée dans son lit, tout ce qui restait d'elle encadré par les longs cheveux lisses, blanc de glace au soleil, d'une beauté d'outre-monde.

Assise dans l'église, elle attendait qu'entre la femme enceinte ou peut-être le vieillard qui lui adressait toujours un signe de tête. Une femme, puis l'autre, ou une femme et puis l'homme. Ils avaient établi un motif, ces trois-là, ou presque, et puis les autres entraient et la messe commençait.

Mais n'est-ce pas le monde lui-même qui vous mène à Dieu ? La beauté, le chagrin, la terreur, le désert vide, les cantates de Bach. Les autres vous rapprochent, l'église vous rapproche, les vitraux d'une église, les pigments inhérents au verre, les oxydes métalliques fondus sur le verre, Dieu d'argile et de pierre, ou bien ne faisait-elle que babiller intérieurement pour passer le temps ?

Elle rentrait de l'église à pied quand elle avait le temps mais sinon elle essayait de trouver un taxi, elle essayait de parler au chauffeur, qui en était à la douzième heure de sa journée et souhaitait uniquement la terminer sans mourir.

Elle évitait le métro, encore, et ne manquait jamais de remarquer les remblais en béton devant les stations de métro et autres cibles possibles.

Elle courait le matin de bonne heure et rentrait à la maison, se déshabillait et se douchait. Dieu la consumerait. Dieu la dé-créerait et elle était trop petite et trop docile pour résister. Voilà pourquoi elle résistait maintenant. Parce que réfléchis. Une fois que tu crois une chose pareille, Dieu est, comment peux-tu échapper, comment survivre à la force de ces mots, était et sera à jamais ?

Il était assis le long de la table, face à la fenêtre poussiéreuse. Il plaça son avant-bras gauche le long du bord de la table, la main pendant du bord adjacent. C'était le dixième jour de deux-fois-par-jour, les extensions du poignet, les étirements du cubitus. Il comptait les jours, les fois par jour.

Son poignet n'avait pas de problème. Son poignet allait bien. Mais il s'asseyait dans sa chambre d'hôtel, face à la fenêtre, la main repliée en poing détendu, et le pouce levé pour certains exercices. Il se remémorait les expressions de la feuille d'instructions et les récitait doucement, en travaillant les formes de la main, la courbure du poignet vers le sol, la courbure du poignet vers le plafond. Il utilisait la main non concernée pour faire pression sur la main concernée.

Il se concentrait profondément. Il se remémorait les positions, chacune, et le nombre de secondes pour chacune, et le nombre de répétitions. La paume à plat, ployer le poignet vers le sol. L'avant-bras posé de côté, ployer le poignet vers le sol. Il faisait les flexions du poignet, les étirements radiaux.

Le matin sans faute, la nuit quand il rentrait. Il fixait la vitre poussiéreuse en récitant des fragments de la feuille d'instructions. Compter jusqu'à cinq. Répéter dix fois. Il faisait le programme complet chaque fois, la main levée, l'avant-bras à plat, la main baissée, l'avant-bras sur le côté, ralentir le rythme, juste un peu, du jour à la nuit et de nouveau le lendemain, en l'étirant, en le faisant durer. Il comptait les secondes, il comptait les répétitions.

Il y avait neuf personnes à la messe aujourd'hui. Elle les regardait se lever, s'asseoir, s'agenouiller, et elle faisait ce qu'elles faisaient mais ne pouvait pas répondre comme elles quand le prêtre récitait des passages de la liturgie.

Elle pensait que l'éventuelle présence de Dieu au-dessus d'eux était la chose qui créait la solitude et le doute dans l'âme et elle pensait aussi que Dieu était la chose, l'entité existant en dehors de l'espace et du temps qui résolvait ce doute dans la puissance tonale d'un mot, d'une voix.

Dieu est la voix qui dit : "Je ne suis pas là."

Elle discutait avec elle-même mais ce n'était pas une discussion, juste le bruit que fait le cerveau.

Elle avait une morphologie normale. Puis un soir tard, en se déshabillant, elle enfila un t-shirt vert tout propre par-dessus sa tête, et ce n'était pas de la sueur qu'elle sentit ou peut-être juste une vague trace, mais pas la puanteur acide de la course du matin. C'était juste elle, le corps tout entier. C'était le corps et tout ce qu'il portait, dedans et dehors, l'identité et la mémoire et la chaleur humaine. Ce n'était pas tellement une chose qu'elle sentait mais plutôt qu'elle savait. C'était quelque chose qu'elle avait toujours su. L'enfant était dedans, la fillette qui voulait être d'autres gens, et des choses obscures qu'elle ne pouvait pas nommer. Ce fut un moment infime, qui passait déjà, le genre de moment qui n'est jamais qu'à quelques secondes de l'oubli.

Elle était prête à être seule, dans un calme confiant, elle et le gosse, comme ils étaient avant que les avions n'apparaissent ce jour-là, d'argent traversant le bleu.

DANS LE CORRIDOR DE L'HUDSON

L'avion était bien en main à présent et il était assis sur le strapontin face à l'office avant, montant la garde. Il devait soit monter la garde ici, à l'extérieur du cockpit, soit patrouiller dans l'allée, un cutter à la main. Il n'était pas embrouillé, il reprenait simplement son souffle, il prenait un moment. C'est alors qu'il ressentit quelque chose sur le haut du bras, la petite douleur aiguë de la peau écorchée.

Il était assis face à une cloison, avec les toilettes derrière lui, réservées à la première classe.

L'air était lourd du Mace qu'il avait vaporisé et il y avait du sang de quelqu'un, son sang à lui, qui coulait par le poignet de sa chemise à manches longues. C'était son sang. Il ne chercha pas à voir la source de la blessure mais il vit aussi du sang sourdre à travers la manche vers l'épaule. Il pensa que la douleur avait peut-être déjà été là avant mais que c'était seulement maintenant qu'il se souvenait de la sentir. Il ne savait pas où était le cutter.

Si tout le reste était normal, dans sa compréhension du plan, l'appareil était déjà en route vers le corridor de l'Hudson. C'était l'expression qu'il avait entendu Amir prononcer tant de fois. Il n'y avait pas de hublot par lequel il puisse regarder sans quitter son siège et il n'en éprouvait pas le besoin.

Il avait mis son portable en mode vibreur.

Tout était immobile. Aucune sensation d'être en vol. Il entendait du bruit mais ne sentait aucun mouvement et le bruit était du genre qui engloutit tout et semble parfaitement naturel, tous les moteurs et les systèmes qui deviennent l'air même.

Oublie le monde. Ne pense plus à la chose qu'on appelle le monde.

Tout le temps perdu de la vie est fini désormais.

C'est ton vœu de toujours, de mourir avec tes frères.

Sa respiration venait par brefs à-coups. Ses yeux le brûlaient. Quand il regardait à gauche, un peu, il voyait un siège vide dans la cabine de première classe, sur l'allée. Droit devant, la cloison. Mais il y avait une vue, il y avait une scène clairement imaginée derrière sa tête.

Il ne savait pas comment il avait été blessé. Il avait été blessé par l'un de ses frères, quoi d'autre, accidentellement, dans la bagarre, et il bénissait le sang mais pas la douleur, qui devenait dure à supporter. Puis il pensa à quelque chose qu'il avait oublié depuis longtemps. Il pensa aux garçons chiites sur le champ de bataille dans le Chatt al-Arab. Il les vit sortir des tranchées et des fossés et traverser en courant les plaques de boue vers les positions ennemies, la bouche ouverte dans un cri mortel. Il y puisa de la force, en les voyant tomber par vagues sous le feu des mitrailleuses, des garçons par centaines, puis par milliers, des brigades suicide, portant des bandanas rouges autour du cou et des clés en plastique par-dessous, pour ouvrir la porte du paradis.

Récite les paroles sacrées.

Serre tes vêtements autour de toi.

Fixe ton regard devant toi.

Porte ton âme dans ta main.

Il croyait qu'il pourrait voir à l'intérieur des tours même s'il leur tournait le dos. Il ne connaissait pas la position de l'appareil mais croyait que, du dos de sa tête, il pourrait voir à travers l'acier et l'aluminium de l'avion et transpercer les longues silhouettes, les formes, les masses, les personnes qui se rapprochaient, les choses matérielles.

Les pieux ancêtres avaient serré leurs vêtements autour d'eux avant la bataille. C'était eux qui indiquaient la voie. Quelle plus belle mort pourrait-il y avoir ?

Tous les péchés de ta vie sont pardonnés dans les secondes à venir.

Il n'y a rien entre toi et la vie éternelle dans les secondes à venir.

Tu souhaites la mort et maintenant elle est là dans les secondes à venir.

Il commença à vibrer. Il n'aurait pas su dire si c'était le mouvement de l'avion ou seulement lui. Il oscillait sur son siège, il souffrait. Il entendait des sons provenant de quelque part dans la cabine. La douleur empirait maintenant. Il entendit des voix, des cris excités dans la cabine ou le cockpit, il n'était pas sûr. Quelque chose tomba du comptoir dans l'office.

Il attacha sa ceinture.

Une bouteille tomba du comptoir dans l'office, de l'autre côté de l'allée centrale, et il la regarda rouler de-ci de-là, une bouteille d'eau, vide, traçant un arc dans un sens et roulant dans l'autre sens, et il la regarda tournoyer de plus en plus vite puis rouler à travers l'avion un instant avant que l'appareil ne heurte la tour, chaleur, carburant, feu, et une onde d'explosion traversa la structure qui expulsa Keith Neudecker de son siège et le jeta contre un mur. Il se retrouva à marcher droit dans un mur. Il ne lâcha le téléphone qu'en heurtant le mur. Le sol commença à glisser sous lui et il perdit l'équilibre et tomba lentement le long du mur.

Il vit une chaise rebondir dans le couloir au ralenti. Il lui sembla voir le plafond commencer à onduler, se soulever et onduler. Il mit les bras sur sa tête et s'assit avec les genoux relevés, le visage calé au milieu. Il avait conscience de vastes mouvements et d'autres choses, plus petites, invisibles, des objets qui glissaient et tombaient, et des sons qui n'étaient pas une chose ou une autre mais seulement des sons, un changement dans la disposition fondamentale des éléments et des structures.

Le mouvement avait lieu sous lui et puis tout autour de lui, massif, quelque chose d'impossible à rêver. C'était la tour qui vacillait. Il le comprenait à présent. La tour entreprit une longue oscillation à gauche et il releva la tête. Il sortit sa tête d'entre ses genoux pour écouter. Il essayait d'être totalement immobile et il essayait de respirer et il essayait d'écouter. Au-delà de la porte du bureau il crut voir un homme à genoux dans la première et pâle vague de fumée et de poussière, une silhouette en pleine concentration, tête levée, veste à demi ôtée, pendant à une épaule.

Au bout d'un moment il sentit la tour cesser de ployer. L'inclinaison semblait irrévocable et impossible et il était assis là, à écouter, puis un moment plus tard la tour reprit son oscillation, lentement, en sens inverse. Il ne savait pas où était le téléphone mais il entendait une voix à l'autre bout, toujours là, quelque part. Il vit le plafond commencer à se gondoler. Une puanteur vaguement familière flottait partout mais il ne savait pas ce que c'était.

Comme la tour revenait enfin à la verticale, il se souleva du sol et se dirigea vers la porte. Au bout du couloir le plafond gémit et s'ouvrit. Il s'ouvrit sous une pression audible, provoquant une dégringolade d'objets, de panneaux et de revêtements muraux. La poussière de plâtre envahit le secteur et il y avait des voix dans le couloir. Il perdait les choses à mesure qu'elles se produisaient. Il sentait des choses aller et venir.

L'homme était toujours là, agenouillé dans l'encadrement de la porte du bureau d'en face, plongé dans des pensées, avec sa chemise imbibée de sang. C'était un client ou un avocat en consultation et Keith le connaissait vaguement et ils échangèrent un regard. Impossible de dire ce qu'il signifiait, ce regard. Il y avait des gens qui appelaient dans le couloir. Il décrocha sa veste de la porte. Il tendit le bras derrière la porte et prit sa veste suspendue à la patère, sans bien savoir pourquoi il le faisait mais sans se sentir idiot de le faire, oubliant de se sentir idiot.

Il s'engagea dans le couloir en enfilant sa veste. Il y avait des gens qui se dirigeaient vers les sorties, dans l'autre direction, marchant, toussant, aidant quelqu'un. Ils enjambaient des débris, le visage marqué d'une urgence absolue. C'était la certitude sur chaque visage, la distance qu'ils avaient à parcourir jusqu'au niveau de la rue. Ils lui parlèrent, un ou deux, et il répondit d'un signe de tête ou pas. Ils parlaient et ils regardaient. Il était le type qui croyait qu'on avait besoin de vestes, le type qui allait dans le mauvais sens.

L'odeur était celle du kérosène et il la reconnaissait à présent, suintant depuis les étages supérieurs. Il parvint au bureau de Rumsey au bout du couloir. Il dut y grimper. Il escalada des sièges et des livres épars et un classeur renversé. Il vit le bâti nu, des poutrelles où il y avait eu le plafond. La tasse à café de Rumsey était brisée dans sa main. Il tenait encore un fragment de la tasse, le doigt dans l'anse.

Sauf que ça ne ressemblait pas à Rumsey. Il était assis dans son fauteuil, la tête penchée sur le côté. Il avait été heurté par quelque chose de gros et dur quand le plafond avait cédé, ou même avant, dans le premier spasme. Il avait la tête enfoncée dans l'épaule, un peu de sang, pas beaucoup.

Keith lui parla.

Il s'accroupit à côté de lui et lui prit le bras et le regarda, en lui parlant. Quelque chose coulait du coin des lèvres de Rumsey, comme de la bile. Comment est la bile ? Il vit la marque sur sa tête, un renfoncement, un évidement, profond, exposant de la chair à vif et des nerfs.

C'était une petite alvéole aménagée de bric et de broc dans un coin, avec une vue limitée du ciel matinal. Il sentait les morts tout proches. Il les percevait, dans la poussière en suspens.

Il regarda l'homme respirer. Il respirait. Il avait l'air de quelqu'un paralysé à vie, né comme ça, la tête basculée dans l'épaule, en fauteuil jour et nuit.

Il y avait un incendie là-haut quelque part, du carburant en feu, de la fumée qui sortait d'un conduit de ventilation, puis de la fumée derrière la fenêtre, qui dévalait en rampant sur la surface de l'immeuble.

Il déplia l'index de Rumsey et retira la tasse brisée.

Il se releva et le regarda. Il lui parla. Il lui dit qu'il ne pouvait pas le sortir avec son fauteuil, même avec les roulettes, à cause des débris partout, il parlait vite, des débris qui bloquaient la porte et le couloir, parlant vite pour se forcer à penser de cette façon.

Des choses commençaient à tomber, une chose et puis une autre, des choses isolées d'abord, qui tombaient du plafond béant, et il tenta de dégager Rumsey de son siège. Puis quelque chose dehors, qui passait devant la fenêtre. Quelque chose passa devant la fenêtre, puis il le vit. D'abord la chose passa et disparut et puis il la vit et dut rester un moment à fixer le vide dehors, en tenant Rumsey sous les bras.

Il ne pouvait plus arrêter de le voir, à vingt pas, un instant de quelque chose d'oblique, qui passait devant la fenêtre, chemise blanche, main levée, tombant avant qu'il l'ait vu. Maintenant il tombait des débris en tas. Il y avait des échos qui résonnaient tout au long des étages et des câbles qui lui claquaient au visage et de la poudre blanche partout. Il restait là, soutenant Rumsey. La cloison vitrée se fracassa. Quelque chose tomba puis il y eut un bruit et le verre frémit et se brisa et puis le mur céda derrière lui.

Il lui fallut un moment pour se relever et sortir. Il sentait comme cent pointes de feu sur son visage et il avait du mal à respirer. Il trouva Rumsey dans la fumée et la poussière, à plat ventre dans les gravats et saignant abondamment. Il tenta de le soulever et de le retourner, il s'aperçut qu'il ne pouvait plus se servir de sa main gauche mais parvint à le retourner partiellement.

Il voulut le prendre sur son épaule, en guidant le haut du corps avec son avant-bras gauche tandis qu'il empoignait la ceinture de sa main droite et s'efforçait de saisir et de soulever.

Il commença à soulever, le visage échauffé par le sang sur la chemise de Rumsey, le sang et la poussière. L'homme tressauta sous sa prise. Il se fit un bruit dans sa gorge, abrupt, une demi-seconde, presque un hoquet, et puis du sang ruissela de quelque part, et Keith se détourna, la main toujours agrippée à la ceinture de l'homme. Il attendit, en essayant de respirer. Il regarda Rumsey, qui était retombé, le torse mou, le visage existant à peine. Toute l'histoire de qui était Rumsey pendait en lambeaux à présent. Keith se cramponnait à la boucle de ceinture. Il restait là à le regarder et l'homme ouvrit les yeux et mourut.

C'est alors qu'il se demanda ce qui se passait là.

Des papiers volaient dans le couloir, bruissant dans une turbulence qui semblait s'engouffrer d'en haut.

Il y avait des morts, aperçus, dans des bureaux des deux côtés. Il escalada une cloison écroulée et se fraya lentement un chemin vers les voix.

Dans l'escalier, dans la pénombre, une femme serrait un petit tricycle sur sa poitrine, un truc pour un enfant de trois ans, le torse encadré par le guidon.

Ils descendaient l'escalier, par milliers, et il était là avec eux. Il avançait dans un long sommeil, une marche et puis l'autre.

Il y avait de l'eau qui coulait quelque part et des voix dans un étrange lointain, venant d'un autre escalier ou d'une batterie d'ascenseurs, quelque part là-bas dans l'obscurité.

Il faisait chaud, c'était bondé et la douleur de son visage semblait lui rétrécir la tête. Il avait l'impression que ses yeux et sa bouche se renfonçaient dans sa peau.

Des choses lui revenaient en visions brumeuses, comme une moitié d'œil au regard fixe. C'étaient des moments qu'il avait perdus quand ils se produisaient et il avait besoin d'arrêter de marcher pour cesser de les voir. Il s'immobilisait et regardait dans le vide. La femme au tricycle, à côté, lui parla en le dépassant.

Il sentit quelque chose de lugubre et comprit que c'était lui, des choses collées à sa peau, des particules de poussière, de la fumée, une sorte de crasse huileuse sur son visage et ses mains qui se mêlait aux souillures du corps, comme une pâte, avec le sang et la salive et la sueur froide, et c'était lui-même qu'il sentait, et aussi Rumsey.

La démesure de tout ça, les simples dimensions physiques, et il se voyait dedans, la masse et l'échelle, et la façon dont les choses oscillaient, l'inclinaison lente et surnaturelle.

Quelqu'un lui prit le bras et l'entraîna pendant quelques pas puis il marcha tout seul, dans son sommeil, et l'espace d'un instant il le revit encore, passant devant la fenêtre, et cette fois il pensa que c'était Rumsey. Il le confondait avec Rumsey, l'homme qui tombait obliquement, un bras écarté comme brandi en l'air, comme pourquoi suis-je ici plutôt que là ?

Il fallait attendre quelquefois, de longs moments bloqués, et il regardait droit devant lui. Quand la file se remettait en mouvement, il descendait une marche et puis une autre. On lui parla à plusieurs reprises, différentes personnes, et quand cela se produisait il fermait les yeux, peut-être parce que cela signifiait qu'il n'avait pas à répondre.

Il y avait un homme sur le palier au-devant de lui, un vieil homme, plutôt petit, assis dans l'ombre, les genoux relevés, qui se reposait. Des gens lui parlaient et il acquiesçait, il leur faisait signe de continuer en hochant la tête.

Il y avait une chaussure de femme juste là, renversée. Il y avait une mallette tombée sur le côté et l'homme dut se pencher pour l'atteindre. Il tendit un bras et la poussa au prix d'un effort vers la file qui avançait.

Il dit : "Je ne sais pas ce que je suis censé en faire. Elle est tombée et elle l'a laissée là."

Les gens ne l'entendaient pas ou ne retenaient pas ce qu'ils entendaient ou ne voulaient pas le retenir et ils continuaient à passer, Keith passa, la file en colimaçon commençait à descendre vers une zone où filtrait un peu de lumière.

Cela ne lui semblait pas durer l'éternité, la descente. Il n'avait aucun sens d'allure ni de progression. Il y avait un rai de lumière dans l'escalier qu'il n'avait pas vu avant et quelqu'un priait derrière lui dans la file, quelque part, en espagnol.

Un homme arriva d'en bas, grimpant vite, avec un casque de protection, et ils lui firent de la place, et puis il y eut des pompiers, en masse, et ils leur firent de la place.

C'était Rumsey qui était dans le fauteuil. Il comprenait cela maintenant. Il l'avait remis dans le fauteuil et ils le trouveraient et le ramèneraient, et d'autres aussi.

Il y avait des voix derrière lui, plus haut, dans l'escalier, une voix et puis une autre presque en écho, des voix en fugue, des voix qui chantaient au rythme de la langue naturelle.

Tenez, ça descend.

Tenez, ça descend.

Faites passer.

Il s'arrêta encore, deuxième ou troisième fois, et les gens se bousculèrent autour de lui et le regardèrent et lui dirent de bouger. Une femme lui prit le bras pour l'aider et il ne bougea pas et elle poursuivit son chemin.

Faites passer.

Tenez, ça descend.

Tenez, ça descend.

La mallette descendait en tournant dans la cage d'escalier, de main en main, quelqu'un a laissé ça, quelqu'un a perdu ça, il faut le descendre, et il regardait droit devant lui sans bouger et, quand la mallette lui parvint, il passa sa main droite devant son corps pour la prendre, le regard vide, et puis il se remit à descendre.

Il y avait de longues attentes et d'autres moins longues et finalement ils furent guidés jusqu'au premier sous-sol, au-dessous du parvis, et ils longèrent des boutiques vides, des boutiques cadenassées, et ils couraient maintenant, certains, avec de l'eau qui s'engouffrait de dieu sait où. Ils émergèrent dans la rue, ils regardèrent en arrière, les deux tours en feu, et bientôt ils entendirent un grondement se répercuter au-dessus d'eux et virent de la fumée s'échapper en tourbillons du sommet d'une tour et redescendre en avalanche, méthodiquement, d'étage en étage, et la tour s'effondrer, la tour sud plonger dans la fumée, et ils coururent de nouveau.

La déflagration jeta les gens à terre. Un tourbillon de fumée et de cendre venait droit sur eux. La lumière se vida et mourut, étouffant la journée ensoleillée. Ils couraient et tombaient et essayaient de se relever, des hommes avec des serviettes sur la tête, une femme aveuglée par les débris, une femme qui criait le nom de quelqu'un. L'unique lumière n'était plus qu'un vestige à présent, la lumière de ce qui vient après, portée dans le résidu de la matière anéantie, dans les ruines en cendres de ce qui était varié et humain, en suspens dans l'air au-dessus.

Il faisait un pas puis un autre, dans le souffle de la fumée. Il sentait les gravats sous ses pieds et il y avait du mouvement partout, des gens qui couraient, des choses qui volaient. Il passa devant le panneau Easy Park, devant Breakfast Special et Three Suits Cheap, et ils le dépassaient en courant, perdant leurs chaussures et de l'argent. Il vit une femme avec la main en l'air, comme si elle courait pour attraper un bus.

Il passa devant une file de camions de pompiers et ils étaient vides à présent, avec les gyrophares allumés. Il ne se retrouvait pas dans les choses qu'il voyait et entendait. Deux hommes passèrent en courant avec une civière, quelqu'un à plat ventre, de la fumée qui suintait de ses cheveux et de ses vêtements. Il les regarda s'éloigner en courant dans la distance assommée. C'était là qu'était tout, tout autour de lui, s'effondrant, les panneaux de rues, les gens, des choses qu'il ne pouvait pas nommer.

Puis il vit une chemise descendre du ciel. Il marchait et la voyait tomber, agitant les bras comme rien en ce monde.

TABLE

OUVRAGE RÉALISÉ
PAR L'ATELIER GRAPHIQUE ACTES SUD
ACHEVÉ D'IMPRIMER
SUR ROTO-PAGE
EN MARS 2008
PAR L'IMPRIMERIE FLOCH
A MAYENNE
POUR LE COMPTE DES ÉDITIONS
ACTES SUD
LE MÉJAN
PLACE NINA-BERBEROVA
13200 ARLES

DÉPÔT LÉGAL
1re ÉDITION : AVRIL 2008
N° impr. : 70755
(Imprimé en France)